KB077230

용인과 통하는 아시아지역학의 경영학적 시원

용인과 통하는
아시아지역학의 경영학적 시원

대한아시아지역학연구회

서문

용인과 아시아지역학 그리고 경영학의 만남

근래 대한민국에 가장 크게 성장한 도시를 꼽으라면 용인시를 꼽을 수 있다. 1996년 당시에 24만 명 내외의 인구를 가지고 있어 막 시로 승격한 용인은 현재는 경기도 제2의 도시이자 가장 혁신적이며 한국 최대의 반도체 도시 및 교육 도시가 되었다.

특히 서울과 비등한 수준의 인프라와 경기도에서 가장 살기 좋고 쾌적한 도시인 용인의 발전은 지금도 계속되고 있으며 젊고 강한 도시의 매력을 자연스럽게 보여주고 있다.

이러한 용인은 이제 한국을 넘어 아시아 전역에 비상한 관심을 주는 도시이다. 특히 아시아지역학으로 보면 가장 아시아적인 마인드를 기반으로 하여 그 독창성을 갖춘 도시이므로 관련 관심이 상당하다.

또한 우리는 새로운 혁신이 용인에서 창조적으로 일어나고 있음을 각인하고 이러한 용인의 발전과 변화는 우리에게 새로운 가능성을 보여주고 있음을 이해하며 경영학에서 파생된 아시아지역학이 용인을 통해서 다시 그 학술적 시원에 다다를 수 있다는 것도 복기하면서 죽전과 아시아지역학의 깊은 관계를 올바르고 창의적으로 천착하면서 이해할 수 있을 것이다.

우리는 본 저서에서 용인에 대해서 아시아지역학을 통해 살펴보고 도시의 잠재력과 관련 배경에 대해서도 심도 있게 살펴보고자 한다. 또한 도시 경영이 얼마나 긍정적으로 이루어지는 것인지에 대해서도 깊이 있게 여러 방면에서 창조적으로 평가하고자 한다.

새로운 시대에 새로운 혁신이 용인에서 일어나고 있다. 이러한 용인의 발전과 변화는 우리에게 새로운 가능성을 보여주고 있으며 아시아지역학에서는 하나의 새로운 연구 대상으로 살펴볼 수 있다.

목차

01
용인과 함께한 연구 I

Ⅰ. 제국주의의 역사적 폐단

우리 역사에서 제국주의에 의해 왜곡되어 투영된 프리즘으로 바라보게 되는 안타까운 지점이 존재한다. 대게 이러한 것은 일본 혹은 중국에 의한 왜곡에 의한 영향을 깊이 우리가 받았으나 그것을 여전히 떨쳐내지 못한 안타까움에서 기원한다.

대표적으로 태권도는 우리 고유의 전통 무술인 수박을 비롯하여 융합적으로 계승한 것이지만 일본 가라테의 영향을 받았다는 낭설이나 고려는 고구려를 계승한 국가이지만 삼국의 재통일로 인해 신라와 백제의 계승 의식이 있었지만, 백제가 일본에 준 영향력을 일본이 부정하기 위해 고려의 백제 계승 의식만 완벽하게 도려낸 것이 있다.

큰 틀에서는 조선과 고려가 중국의 종속국으로 불리며 일종의 속국 역할을 한 것이라는 왜곡이다. 하지만 조선과 고려는 자주국이며 중국에 일방적으로 끌려간 적이 없으며 조공은 일종의 특수한 무역으로 손해를 보지 않는 것이 진실이다.

이러한 제국주의적 왜곡과 제단은 비단 우리나라만 있는 것은 아니라 서구 열강이 아시아에 행한 것도 그러하다. 대표적으로 인도는 영국에 의해 완전히 통일되었다는 허무맹랑한 사실이다. 사실은 과거 인도는 우리나라와도 깊은 교류를 했고 미얀마, 네팔, 스리랑카, 부탄, 태국을 인도 문화권에 두었다는 것을 완전히 부정하는 것이다.

이외에 이란은 분명히 아랍권에 포함되지만, 아랍과 다르다고 주장하는 것도 그러하다. 이는 아랍의 영역을 축소하려는 열강의 시도이다. 이외에도 캄보디아는 현재도 그렇지만 라오스를 하위 문화권을 둘 만큼 상당한 영향력을 가지고 태국보다 강성했지만, 태국을 띄워주면서 캄보디아를 깎아내린 것도 그러하다.

한편 북방에서 보면 몽골이 강성할 때는 인도를 하위 문화권으로 두었고 인도가 강성할 때는 몽골이 인도의 영향을 강하게 받았으며 인도와 몽골에도 유교가 강하게 전파된 것도 은폐했는데 이는 서구 중심적 사고에 기인한 것으로 비서구 국가는 국제 교류가 불가능하다는 편견에 기반한 것이다.

이러한 제국주의 잔재의 문제는 국내에서는 성균관이 한의학, 치의학, 수의학 관련 상당한 연구도 하고 기술도 있으며 현재의 성균관대도 그것을 이어받은 것을 잘 모르게 하거나 한의학이 다른 대안 의학을 포용하는 큰 그릇이 되어야 하는 사실도 은폐하고 있다.

이어 육군과 공군 ROTC가 설치된 숙명여대가 해군과 해병대 학사장교도 우수한 인재를 배출한 사실도 페미니즘에 대한 폄하로 인해 잘 안 알려진 것도 그러하다. 이외에 숙명여대는 숙명여고만 나온 고졸 동문 중에서 사회적 기여가 높은 사람을 숙명여대 동문으로 넓게 인정하는 멋진 전통도 남성 중심 사회에서 다소 잘 안 알려지게 된 아쉬운 부분이라고 할 수 있다.

또한 성공회대 미래융합학부가 사실상의 자연대 역할을 하는 사실과 아시아지역학에서 언어학의 중요성 부분에서 특히 외국어로서의 한국어학 전공도 사실상 아시아지역학의 일부라는 것도 잘 알지 못하게 되었다.

세계적으로는 인도의 한류 확산 추세와 힌디어가 인도 전역에서 국어로 사용될 가능성이 부정되고 룩셈부르크어, 아프리칸스어, 로망슈어가 네덜란드어와 사실상 같은 언어인 것도 은폐되었다.

결론적으로 이러한 제국주의의 음습한 폐해를 인식하고 이를 개선하여 올바른 방향으로 나아가서 바른 계승이 되도록 하는 것이 진정한 참지식인이라고 강조할 수 있다.

II. 국가 최고 고등교육기관으로써 성균관

우리 역사에서 국가 최고 고등 교육기관 역할을 한 것은 성균관이다. 혹자는 이 성균관을 유교 교육 기관으로 알고 있으나 이는 오해에서 비롯된 것이다. 물론 조선은 유교를 국교로 채택한 국가이므로 유교 관련 경전 교육이 성균관에서 이루어진 것은 사실이다.

그러나 성균관은 고려시대부터 존재했고 전신인 태학, 국자감, 국학, 성균감에서 불교 교육이 이루어졌던 사실이 있다. 이는 고려의 국교는 불교이므로 그 영향을 받지 않을 수 없기 때문이다.

아울러 백제, 고구려의 태학이나 신라의 화랑, 국학 그리고 발해의 주자감을 성균관은 이미 계승하고 있다. 이외에도 의학 분야에서는 국립 의학교육기관인 제중원과 동제의학교도 간접적으로 계승하고 있다고 보아야 한다.

결론적으로 이러한 점들을 살펴보면 그 시대적 상황에 따라 주요한 이념 혹은 종교에 대해 분석적이고 합리적인 교육이 실시된 것은 있으나 특정한 종교에 주안한 협소한 교육기관은 아니라는 것이다.

결론적으로 현재의 성균관을 계승한 성균관대학교도 고유례나 유소문화축제도 그것이 일종의 전통문화 행사이지 유교 관련 행사로 볼 수 없다는 것이 중론이며 공부자탄강일에 개교기념일로 쉬는 것도 공자를 숭배하는 것이 아니라 동양의 학자로서 교육적 가치를 가지고 존중하는 차원이지 유교와는

무관하다고 할 수 있다.

아울러 성균관대학교의 과거 역사를 살펴본다면 흥미로운 점이 있다. 일본에 의해 제국주의적 침탈이 가속화되면서 한반도가 식민지로 떨어진 시점에서 한국은 강제적인 근대화를 받을 수밖에 없었다.

이 과정에서 일본은 경성제국대학을 설립해서 제국주의적 교육하였다. 해당 대학은 일반적인 엘리트즘의 극한에 있던 대학으로 근대 대학 교육이 처음 시작되었다는 의미는 있지만 엘리트즘의 역효과가 상당히 날 수 있는 안타까운 문제가 있기도 하였다.

반면 성균관은 대한제국 멸망 이후 국립교육기관의 위상을 상실했다. 이 과정에서 현대식 학교인 명륜전문학교로 개편했으나 이것에 반대하여 독자적인 민족 교육 설립 운동을 하는 사람들도 상당했다. 특히 민립대학설립운동도 성균관의 현대적 대학 개편에 그 역사적 기초를 두고 있다.

아울러 경성제대에 반대한 재야의 학자들을 중심으로 성균관의 고등교육 역사를 올바르게 계승했으며 이들은 대만과 동남아시아의 남양 연구가 상당했다는 평가를 받고 있으며 인도와 수의학에 대해서도 상당하게 교육했다고 전해지며 당시 이들의 교육 집단은 경성제대에 필적할 정도였다.

한편 해방 이후 재야의 성균관 계승 세력이 명륜전문대학을 인수하여 성균관대학교로 확대 개편하였고 이 대학은 민족, 개혁, 혁신적 성향과 열린 교육을 표방하는 최고 명문 대학으로 성장하였다.

Ⅲ. 자주적인 국왕 묘호와 예우 등에 대한 연구

우리는 여러 연구를 통해 국가적 위상 회복을 위해서는 이전 왕조의 묘호가 없으면 이를 정돈할 필요가 있음을 주장했다. 이에 따라서 아래와 같은 묘호와 관련 예우를 제안하고자 한다.

발해의 경우 선왕 이후는 묘호에 대해 알려진 것이 없으므로 이름의 중간 글자를 따서 이왕, 건왕, 현왕, 위왕, 인왕으로 부르고 폐위되어서 폐왕이라는 별칭이 있는 대원의는 원왕으로 불러야 한다.

한편 고려의 경우 원종 이후로는 묘호가 없으므로 기존 명칭의 가운데 글자를 따서 열종, 선종, 숙종, 혜종, 목종, 정종, 민종, 우종, 창종, 양종으로 해야 하고 황제국에 맞는 예우를 해야 한다.

조선 혹은 대한제국의 경우 명과 청이 내린 시호는 삭제하고 연산군과 광해군에게도 묘호를 제정하여 기존 봉호의 앞 글자를 따서 연종, 광종으로 해야 하고 이외의 예우도 다른 왕 혹은 황제와 동일하게 해야 하며 종묘에도 모실 필요가 있다.

이를 통해 과거의 사대주의적 풍토를 혁파하고 더욱 자주적인 대한민국의 밝은 미래와 과거사 청산을 통한 정의 수호에도 도움이 될 것이다.

Ⅳ. 정당 해산의 정당성 사후 판별법

우리 헌법을 비롯하여 대다수의 민주 국가 헌법에는 비민주적이고 위헌적인 정당을 방어적 민주주의 차원에서 해산하도록 하는 조항이 있다.

이에 따른 정당 해산이 사후의 정당성을 가지려면 대게 정당 해산에 따른 공석이 된 공직자 선거구의 보궐선거에서 해산된 정당의 구성원 중에서 후보자를 내지 못하거나 당선 혹은 10퍼센트 이상의 유의미한 득표를 하지 못한 경우 대중은 그 해산이 정당하다고 보며 그것은 사실상 정당한 해산으로 봐야 한다.

또한 해산된 정당의 구성원 중에서 기존의 직책에 다시 동일하게 출마한 자의 경우 상대적으로 높은 인지도와 기존 조직의 손쉬운 동원 가능성으로 인해 해당 지역주민의 표를 더 많이 받는 경우가 흔하므로 그것을 고려하여 선거 결과에 대해 올바르게 분석해야 하며 특히 그들에 의해 조직적인 불법 선거 운동이 없었는지도 주의 깊게 살펴봐야 한다.

V. 우리 문화 바로 세우기

우리 문화를 살펴보면 아쉬운 부분이 많아 이러한 점에서 우리는 제언하고 자주성을 강화하면서 사회적 풍토 개선 방안에 대해서 말하고자 한다.

첫째로는 발해에 대한 계승 의식 확립이다. 우리 역사에서 발해는 한국사로 봐야 하며 다른 나라의 역사가 조금도 될 수 없다.

특히 중국의 역사 왜곡 문제가 제기되는 현시점에서 발해는 한국사이고 한국의 전신 중 하나이며 현재 우리는 완전한 발해 문화의 계승자로 선포하고 이러한 행사와 활동을 적극적으로 해야 한다.

둘째로는 부통령과 대통령 권한대행의 예우 문제이다. 우리 역사상 부통령과 대통령 권한대행은 사실상 대통령급 위상을 가진 사람들로 이를 대통령급 예우를 하는 것은 과거 국가 지도자급 인사에 대한 예우이자 좋은 전통을 확립하는 것이다.

또한 김구 주석이나 문민정부 행정부의 강한 영향력을 미친 초실세 직위인 여당 대표위원을 역임한 김종필 총재처럼 부통령 혹은 대통령 권한대행은 아니지만 대통령급 위상을 가진 정치 지도자에 대해서도 대통령급 예우를 해야 한다.

이외에도 근래에 주목받은 동학사상이 사실상 우리 일상에서도 흔히 볼 수 있는 점을 다시 알아야 한다. 원불교, 대종교, 천도교, 증산교, 무교, 선교 등이 사실상 동학이 분화된 것과 같은 것이다. 고로 이러한 재확인도 우리 문화 바로 세우기에 일조하는 것이다.

VI. 한국적 보건 의료에 관해

한국에는 전통적인 의학인 한의학과 현대 의학인 일반 의학이 존재한다. 대개 전자를 한의사로 부르고 후자를 의사로 부른다. 특히 의사 증원 문제가 근래의 화두가 되면 이러한 한국적 보건 의료 확립의 중요성이 날로 커지고 있다.

먼저 의사 부족 문제에서 공공의대 설치 주장이 나온 것부터 살펴보아야 한다. 이러한 주장에서 신설을 추진하는 공공의대의 경우 특정 의과대학을 신설해야 하므로 그 비용이 막대하고 기존의 의사 집단 내부의 학벌 문제 해소에도 큰 도움이 되지 않아 불필요한 신설이라고 할 수 있다. 다만 그 설치 취지와 필요성에 대해서는 누구나 공감할 수 있다.

그러므로 공공의대가 아니라 공적 의료 장학금 제도를 도입해야 한다. 일반 의대 재학생이 장학금 수혜자로 선정되면 등록금을 면제하고 생활비와 품위유지비를 지원받는 대신 10년간 오지에서 공중보건의로 근무해야 한다.

이 제도는 별도의 의대를 신설하지 않아 비용 절감 효과가 있으며 다양한 의대 출신을 받을 수 있어 상당히 의학적으로 여러 비결을 얻을 수 있는 장점이 존재하고 저소득층의 의사 진로에 큰 도움도 된다.

한편 위에서 언급한 한의학의 경우 근래의 여러 문제와 함께 개선 방안이 요구된다. 먼저 한의학의 현대화 문제이다. 한의학 자체가 전통 의학이지만 현대 과학기술의 발전과 그 연구 성과를 적극적으로 접목할 필요성이 제시되며 이를 받아들여서 한 단계 업그레이드된 혁신 의학이 되어야 한다.

또한 한의학의 학술적 풀을 넓히기 위해 중의학이나 일본 한방의학뿐만 아니라 아유르베다의학, 이란전통의학, 미국원주민의학 등 각국의 전통 의학을 하나로 접목하여 큰 그릇이 되어야 할 필요성이 있다. 특히 근래에 추나요법을 발전하면서 카이로프로테택을 접목하는데, 이는 아주 좋은 사례이며 모든 한의대가 카이로프로테택을 의무적으로 가르칠 필요성이 있을 정도이다.

이외에도 한의대가 설치된 대학 자체의 브랜드 평판을 올려서 한의대가 명문대에 설치된다는 사회적 인식을 끌어낸다면 한의학이 혁신적인 형태로 새롭게 발전될 수 있는 긍정적 가능성을 제시할 수 있다.

Ⅶ. 인식 범위의 확장

인간이 지리를 인식하면서 지도상의 그어진 선과 달리 생활권을 중심으로 그 범위를 인식하고자 하는 특성이 있기에 가끔 혼란이 발생하기도 한다.

예를 들어 국내에서 수도권은 서울특별시, 인천광역시, 경기도를 의미하지만, 실제 현실에서 수도권 인식은 천안시, 아산시를 포함하며 조금 더 넓게는 세종특별자치시 북부지역(소정면, 전의면, 전동면, 조치원읍)을 포함한다.

또한 외국의 예를 살펴보면 지리적으로 부건빌의 경우 오세아니아로 분류되지만, 문화권 적으로 아시아에 포함된다고 보며 실제 역사적으로도 아시아와 좀 더 깊은 관계가 많다. 특히 일본과의 관계도 있을 정도이므로 문화권 적으로 아시아라고 보는 것은 그 근거가 상당하다고 할 수 있는 셈이다.

이러한 인식의 변화는 실제 인프라에도 깊은 영향을 미친다. 부산광역시와 밀양시의 경우 광역전철이 존재하지는 않으나 사람들 인식 속에서 부산과 밀양은 동일 생활권이며 일일생활권으로 분류되니 누리로 혹은 무궁화호가 증편되어 사실상의 광역전철 역할을 하게 되고 상호 출퇴근이 활발해지면서 새로운 광역전철 건설 논의도 제기되고 있다.

결국 인간에게 지리적 인식 범위의 확장은 실제 현실에서의 유의미한 변화와 다시 그것이 인식을 더 넓히는 선순환적 구조로 이루어지는 것은 우리는 여러 사례를 통해 알 수 있는 셈이다.

Ⅷ. 아시아지역학과 경영학

우리가 다루는 아시아지역학이 경영학의 도움으로 탄생하고 일각에서는 경영학의 한 하위 학문으로 보기도 한다는 것은 공공연한 사실이다.

이러한 점에서 아시아지역학과 경영학의 상호 연관성에 대해서 살펴볼 필요가 있으며 이를 과학적 방법에 따라 규명해 보면 학술적 발전에도 도움이 될 것이다.

먼저 학교 현장에 대해서 살펴보면 대게 아시아지역학이 국내에서 별도의 학과로 직접 개설된 예는 없지만 연계전공으로 개설된 경우가 많으며 일반적으로 경영학부 산하의 전공으로 취급받는 경우가 많다.

또한 편입생의 경우 학점은행제나 독학학위제의 경우 경영학을 전공해서 아시아지역학으로 편입하면 사실상 동일한 전공으로 인식되어 그 학위는 없는 것으로 보는 경우도 많은 편이다.

이외에 과목을 살펴보면 대게 '회계학원론', '경영경제수학', '경영과컴퓨터', '경제학원론', '경영학원론', '경영통계학'을 기초 이수과목으로 정하며 이들 과목과 내용이 유사한 과목으로 '위대한지도자들과그들의선택', '문화예술과감각활용', '바이오헬스인문학', '4차산업혁명과서비스경영'이 있다.

이러한 과목들은 대개 경영학 과목과 내용이 동일하다. 또한 자유로 분류된 과목은 제2전공 과목과 교양 과목을 동시에 인정하는 과목으로 본다. 그리고 이들 과목은 명칭은 다르지만, 기본적으로 경영학을 다루고 이해시키는 과목이다.

Ⅸ. 인도를 다시 바라보다

이외에 학술적으로 아시아지역학은 경영학에 기반을 두고 있지만 정치학, 법학과 연관이 있으며 언어학과는 그 특수성 때문에 반드시 접점이 있다. 특히 국내에서는 외국어로서의 한국어 전공 학생도 아시아지역학과 거의 같은 것으로 보는 경우도 있다.

일반적으로 인도라고 하면 한국과 별다른 관계가 없다고 생각하지만, 과거 충청도와 전라도에 진출할 만큼 세력이 있었던 가야의 황후로 허황후가 인도에서 건너왔고 그들의 후손이 한국에 천만 명이나 존재하는 것은 결코 인도가 우리와 하등 관계없는 나라가 아니라 오히려 밀접한 역사를 가진 나라라고 봐야 하는 것이다.

또한 중국의 강성함으로 인해 새로운 대안 시장이 모색되는 가운데 상임이사국 수준의 영향력을 가진 인도와 함께한다면 우리는 경제적으로 여유 공간을 확보하여 한국의 활력을 높일 수 있는 기회를 얻을 수 있다.

이를 위해서는 한국이 나서서 힌디어의 UN 공용어화, 국내 고등학교에서의 힌디어 교육, 인도 루피화의 기축통화화를 지지해 줄 필요성이 깊이 제기된다.

아울러 과거 역사를 보면 인도도 유교의 영향력이 상당했고 인도인의 생활 속에 유교가 미친 영향을 고려하면 유교를 통해서도 우리와 인도의 관계가 의외로 가깝다는 것도 엿볼 수 있다.

또한 과거 성균관에서도 천축국이라고 불린 인도 연구가 상당했다는 점은 조선시대에도 인도와의 교류가 상당했다는 것을 보여주는 것이며 우리가 인도와 더욱 가까워져야 한다는 것을 여러 방면에서 역사가 강조해 준다.

X. 중화의 문명과 문화를 살펴보다

20세기 아시아는 서구 열강의 식민 지배와 경제적 수탈로 인해 많은 어려움을 겪었다. 그러나 21세기 들어 아시아는 독립 이후 빠른 성장을 통해 서구 열강과 경제 및 문화적으로 어깨를 나란히 하고 있다. 이러한 흐름 속에서 한국은 20세기 고도성장을 통해 선진국에 진입했으며 세계 10위의 경제와 우수한 문화를 자랑하는 강국이 되었다.

아시아의 부상은 아시아지역학의 발전으로 이어졌다. 아시아지역학은 아시아의 특유한 가치와 학문을 연구하는 학문으로, 경영학자들을 중심으로 탄생하고 발전하여 융성 되고 있다.

이러한 흐름 속에서 중국은 아시아의 저력 있는 국가로 주목받고 있다. 중국은 4대 문명으로 불리던 과거 시대부터 현재까지 유구한 문화적 전통과 발전상을 가지고 있다. 이러한 저력은 현재의 중국 발전에도 강하게 드러나고 있다.

그러므로 우리는 중국의 문명과 역사를 조망해야 한다. 중국 문명의 태동부터 현재까지의 발전 과정을 살펴보고, 중국 문화의 융성과 창조성, 그리고 실크로드를 통한 동서 문명의 교류에 대해 다뤄보아야 한다.

중국 문명의 태동은 황하 문명의 형성과 더불어 시작되었다. 황하 문명은 농경과 문자, 정치, 종교 등 다양한 분야에서 발전을 이루었다. 진과 한의 시대에는 중국 문명이 더욱 발전하여 현재 중국의 틀을 형성했다.

중국 문화는 다양한 문명과의 교류를 통해 융성해 왔다. 중국은 주변 국가들과 활발한 교류를 통해 문화를 수용하고 발전시켰다. 이러한 융성은 중국 문화의 창조성을 끌어냈다.

실크로드는 동서 문명의 교류를 촉진한 중요한 통로였다. 실크로드를 통해 중국은 주변 국가들과 다양한 문화를 교류하며 동서 문명의 상호 발전에 기여했으며 이러한 가치는 현재도 의미가 있다.

중화로 불리는 중국에 문명은 상당하다. 우리는 중국을 바라보는 다른 시선과 문명을 바라보는 다른 시선을 통해서 중국을 올바르게 살펴보고 우리가 배울 점을 배울 필요성이 제시된다.

02

용인과 함께한 연구 II

Ⅰ. 용인학을 아시아지역학으로 보다

아시아지역학을 통해 용인을 다루므로 기본적으로 용인학에 대해서 살펴볼 필요가 있다. 용인의 어제와 오늘을 이해하고 너 나은 미래상을 구성하며 옴니버스 적으로 용인에 대해 깊이 있게 이해하면 좋은 성과를 낼 수 있을 것이다. 또한 용인학은 경기도 최초로 만들어진 지역학이므로 그 의미도 상당한다.

한편 용인학의 개관을 알고자 하면 용인의 지리와 인문 환경을 이해하고 대표 유적지를 살펴보아야 한다. 또한 인간적 특성에서 용인의 역사와 인물을 이해하면 그 역사적 흐름을 이해하고 유명 인물의 행적과 역사적 의의를 이해함으로써 입체적인 이해가 가능할 것이다.

이외에도 민속적 이해가 중요하다. 용인 지역에 내려오는 전통 축제와 민속놀이에는 어떤 것이 있는지를 알고 그 문화적 의미를 이해해야 하며 용인의 대표 지역명소를 탐방하고, 용인 문화의 아름다움을 체험할 필요성도 있다. 고로 이러한 심층적 관점에서 용인학을 깊이 있게 천착하여 새로운 용인을 살펴보아야 한다.

II. 용인의 설화와 불교문화 이야기

용인 지역에는 전해지는 설화가 많으며 그 설화 속에 담긴 지역 정서와 특수성의 우수성과 가치에 대해서 심도 있게 이해할 필요성이 있다.

또한 그러한 문화적 가치가 지역 유명 명소라고 할 수 있는 백남준 아트센터와 같은 곳에서 실전적 사례를 확인하고 용인 문화 콘텐츠 개발에 대해 긍정적으로 생각해 보면 더욱 좋을 것이다.

한편 용인 지역 불교문화의 역사와 특징을 이해하고 대표적 불교문화 유산에 대해 현장 탐방을 통해 알아봄으로써 용인의 과거에 대해 심도 있게 알 수 있다.

Ⅲ. 용인 도시의 발전과 특성

용인시 도시 발전의 역사와 특징을 알고 앞으로의 발전상을 예측하는 것은 상당히 중요하다. 특히 이러한 예측 중에서는 과거 유적지를 탐방하는 방법도 있다. 예컨대 석주선박물관을 통해 그 역사와 소장 유물을 살펴보면서 도시의 발전과 특성을 살펴보는 식이다.

이외에도 현재 용인이 중국에 상당한 관심을 통해 문화, 경제적 성과와 이익을 내려는 것도 쉽게 알 수 있다.

예를 들어 삶의 철학을 통한 중국어 강독이나 중국 통상 및 시사 그리고 중국어권 문화에 대해서 심도 있는 이해를 하는 것도 용인이 지금 중국에 대해 추구하는 관심 키워드와 일치하므로 용인 특유의 중국 공부라고도 해도 결코 과언이 아니다.

Ⅳ. 용인시 산업구조 및 일자리 변화와 미래

용인시의 산업구조 및 일자리 현황을 이해하고 향후 변화를 예측해 보는 것은 기본적으로 도시의 내일과 현재를 살펴보는 가장 기본적인 것이라고 할 수 있다.

또한 이 과정에서 용인의 마을 공동체를 살펴보는 것도 병행할 필요가 상당히 있으며 이외에도 관련 주제에 대해서 깊이 살펴보고 천착해야 한다. 용인에서 진행되고 있는 마을공동체 사업 현장에 대해 알아보고 보다 나은 마을 가꾸기를 위한 대안을 구상해 보면서 산업구조 및 일자리 변화의 미래에 대해서도 깊게 이해가 가능한 것이다.

한편 용인은 문화예술과 감각 활용에 대해서 깊게 고민하고 있고 그러한 교육이 관내에서 유행하는 경향이 있다. 이 과정에서 창의적 사고가 피어나면서 역사를 공부해서 경영학을 발전시키는 특유한 연구도 나올 정도이니 그 활성화가 상당하다.

이외에도 근래에 문제가 되는 '망 중립성'이나 '마이크로 크레딧'도 용인에서 각광받는 산업적 주제이다. 이러한 것을 통해서 용인이 혁신적 변화를 추구하는 산업 지향적 도시임을 알 수 있고 이를 통해서 미래 용인도 예측할 수 있다.

V. 용인의 성장과 미래

용인이 성장하면서 그 성장을 참고하여 발전하고자 하는 도시도 등장한다. 예컨대 충남도청신도시개발이나 성환신도시개발도 용인의 신도시 개발사업을 많이 참조했고 실제도 두 지역도 용인과 비슷한 느낌이 난다.

이외에도 용인의 성장은 지금도 계속되고 있으며 이미 국제적으로는 서울을 넘어 뉴욕 혹은 런던과 어깨를 나란히 한다는 평가를 받을 정도로 급속하게 성장한다.

이외에도 용인은 전국 문제에 있어 깊이 있는 관심으로 적극적으로 타지역에 참여하고자 한다. 우리 연구회도 이러한 용인의 입장에 발맞추어 많은 타 지역 연구도 용인적 입장에서 해볼 수 있었다.

예컨대 울산 지역은 독도 문제에 관심이 많고 박어둔이라는 안용복을 후원하고 직접 참여한 위인의 발전과 울릉도와 울산의 깊은 교류 관계도 알 수 있었다.

이외에도 포항시와 경주시는 울산 생활권이고 천안 사람들이 한국전쟁 당시에 울산으로 피난을 많이 와서 깊은 교류를 현재도 하는 것과 온산읍 도로명 주소 중 지번 주소만 있는 목도가 도로명주소 '울산광역시 울주군 온산읍 온산로 68'에 포함되어야 한다는 것도 알 수 있었다. 이러한 것은 용인이 포용적 도시이기에 우리도 알 수 있는 성과라고 첨언 가능하다.

Ⅵ. 포용적인 도시 그리고 용인

도시는 포용적이어야 크게 성장할 수 있는 것은 인류 역사에서 자명한 진리이다. 이러한 점에서 용인은 상당히 포용적이면서도 개방적이고 혁신적인 따뜻한 도시이다.

우리도 이러한 도시의 관점에서 연구하니 오히려 다른 지역을 봄에도 그 지역에서 못 보는 객관적인 것들도 추가로 볼 수 있는 일을 할 수 있었다.

대게 원적이라고 할 수 있는 할아버지 고향 주소가 개인에게 실질적으로 고향의 역할을 할 수 있는 것이다. 예를 들면 할아버지 고향이 경상남도이면 그 사람도 경상남도 사람으로 분류할 수 있는 것이며 이것은 우리나라의 전통적 지연의 관점이다.

한편 성씨에 관한 연구 성과를 살펴보면 예컨대 벽진 이씨는 경남에서 제일 많이 살며 고령군, 성주군, 칠곡군, 청도군은 경남 생활권이고 화천군 화남면과 남원시 덕과면에 경남 정체성을 가진 사람이 많이 사는 것도 밝혀낼 수 있었다.

이외에도 부산은 울산과 경남에 강력한 영향을 주는 동남권 중추도시이며 그중에서도 사하구는 울산과 경남과 긴밀한 교류가 많고 역사적으로는 울산과 경남 일부 지역과는 같은 행정구역이었음을 알 수 있었다.

이러한 연구가 용인이 아닌 다른 지역이어서 의아할 수 있지만 그만큼 용인에 부·울·경 출신이 많이 살아 그들의 뿌리도 살펴야 용인을 입체적으로 알 수 있는 것도 있지만 용인의 위상이 올라가면서 다른 지역에 대해서도 이해도가 조금은 있어야 전국적 영향력을 끼칠 수 있으므로 그 기초로써 연구할 수 있었던 것도 있다.

결론적으로 용인은 더욱 성장하고 있으며 더욱더 개방적이고 팽창적인 도시로 나아가면서 다양한 문화와 지역과의 융합을 통해 성장해 나갈 것이다. 그리고 이러한 교훈들은 용인도 알게 되면 좋은 것이므로 시민 모두가 알도록 할 필요가 있다.

Ⅶ. 명나라와 근세 그리고 용인

중국은 당나라 이후 여러 이민족 왕조가 이어졌다. 그들은 중국 전역을 차지하거나 일부를 차지했지만 더 이상 중국은 한족만의 독자적 무대가 아님을 밝히는 선언과 같은 것이었다.

특히 원나라는 몽골에 의해 건설된 나라로 기존의 이민족 왕조가 오합지졸 도적떼와 같은 모습에 야생적 태도가 깊었다면 몽골은 문명화되고 길들여진 이민족 왕조를 탄생시켰다.

하지만 이와 같은 이민족의 잔치는 한족에게는 민족적 치욕이었다. 그때 주원장이 중국이라는 무대에 등장했다. 그는 가난한 농민 출신이었다. 원나라 말기 홍건적이 세상을 어지럽히던 시기 그는 변혁을 꿈꾸며 자신을 따르던 이들을 모아 세력을 키웠다. 그리고 마침내 1368년 원의 수도인 대도(베이징)를 점령하고 명나라를 선포했다.

명나라는 잃어버린 한족이 자존심을 회복하고 한족에 의한 중국 통치가 다시 제대로 시작되는 기원을 열었다. 하지만 당시 유럽은 구텐베르크의 금속활자 발명이나 여러 과학적 발전이 혁명적으로 이뤄지는 데 반해 중국은 그러한 부문이 취약했다.

그것이 오늘날 서양과 동양의 격차를 만들어 낸 시작이었으며 명나라가 근대가 아닌 중세와 근대 사이의 애매모호한 지점을 일컫는 일명 근세의 본격적인 시작이 창대하게 열리게 되었다.

그리고 그때 유교에 악영향으로 중국이 서방에 뒤처진 것을 따라잡기 위해 현재의 후손들이 엄청난 시련과 고통을 겪을 수밖에 없게 만든 것이고 그럼에도 완전히 따라잡지 못한 비극과 회한의 눈물을 흘리게 만든 오래된 역사적 기원인 셈이다. 그리고 이러한 역사적 교훈은 용인도 알게 되면 좋은 것이므로 유교를 털어내야 한다.

Ⅷ. 오만과 페스트 그리고 용인

페스트는 14세기 세계를 휩쓴 대유행 전염병으로 7,500만 명 이상의 인구를 사망케 한 것으로 추정될 정도로 현재까지 인류 역사상 가장 큰 피해를 준 전염병이다. 페스트는 몽골 제국이 유럽을 침공하면서 함께 전파되었는데, 당시 몽골군이 투석기를 통해 감염자를 성안으로 던지기도 했다는 기록이 있다.

공포의 학살자로 불리게 된 페스트의 창궐로 유럽의 문명은 큰 타격을 입었다. 도시는 황폐해졌고, 경제는 마비되었으며, 사람들은 공포와 슬픔에 빠졌다. 페스트는 당시 유럽의 지배 이념인 그리스도교의 권위를 완전히 파괴하고 무너뜨렸다.

한편 동양에서도 당시 1억의 인구를 돌파한 중국이 6천만 명으로 인구가 감소하는 데 큰 영향을 주었으며 고려의 충목왕도 페스트로 사망했다는 설이 주류일 정도이다. 또한 실크로드를 완전히 파괴하여 동서 간의 교류를 박살 내어 중국과 고려의 경제적 타격을 심각하게 주었다.

페스트는 사라졌지만, 이후에도 여러 전염병은 전 세계에 주기적으로 유행했다. 19세기에는 콜레라가, 20세기에는 스페인 독감과 에이즈가, 21세기에는 우한폐렴이 인류에게 큰 고통을 주었다.

오늘날에도 전염병은 중세의 페스트처럼 인류에게 위협이 되고 있다. 특히 우한폐렴 팬데믹은 전 세계를 휩쓸며 경제와 사회에 큰 혼란을 일으켰다. 일각에서는 21세기의 흑사병이라고 불릴 정도였다.

인류는 항상 전염병의 위기 속에서 산다. 지금의 우한폐렴처럼 중세의 페스트는 인류에게 큰 고통을 주었지만, 몹시 오만했던 생각과 망상이 가져오는 사악한 중독의 늪에서 벗어나는 계기가 되었으며 그것을 통해 인류는 한 단계 더 도약할 수 있게 되었다. 그리고 이러한 역사적 교훈은 용인도 알게 되면 몹시 좋다.

IX. 세계화의 시작과 중국 그리고 용인

명나라는 임진왜란에서 조선을 도운 이후 더욱 쇠락하던 국력에 쐐기를 박았다. 만주족의 융성으로 명나라는 멸망하고 청나라가 건국되었지만, 중국의 근본적 변화와 근대를 향한 시도는 암울하게도 전무했다.

한편 유럽은 신대륙 발견 이후 남미에서 은 광산이 발견되자 대규모의 실버러시가 일어났다. 여기서 채굴된 은은 유럽이 중국의 물품을 사기 위한 대금으로 사용되었다. 한편 신대륙에서 금 광산도 발견되면서 골드러시도 폭발적으로 일어났다.

이제 유럽인은 새로운 기회를 찾아 신대륙으로 건너가 정착했고 폭력을 동원해서 원주민의 땅을 빼앗고 그들의 정착촌을 만들었다. 마치 지금 팔레스타인 땅에 이스라엘 유대인이 정착촌을 건설하며 저지르는 짓을 그 당시에도 한 것이다.

신대륙과 유럽은 상호 긴밀하게 소통하고 서로의 자원과 사람을 통해 살아갔다. 또한, 유럽인들은 신대륙으로 건너가 정착했고, 원주민의 땅을 빼앗았다. 이러한 과정은 경제학적으로 세계화의 초기 형태로 볼 수 있다. 또한, 네덜란드에서는 튤립 투기가 성행하여 경제적 버블이 생겼는데, 이는 초기 자본주의적 행태의 한 예로 볼 수 있다. 하지만 중국은 이러한 변화 속에서도 아무런 변화가 없는 무풍지대였다. 결국 잠자는 중국 앞에는 유럽이 칼을 가지고 다가왔다.

사람은 언제나 새로운 한계에 도전하면서 새로운 자원과 지식을 구하기 위해 노력해 왔다. 17세기의 유럽은 이제 지구 전체를 대략 파악하게 되었다. 무한한 팽창과 영토 경쟁은 이제 서서히 지도상의 빈칸이 사라지고 예정된 충돌만을 예고했다.

한정된 자원과 영토를 두고 유럽인은 전 세계적으로 충돌했다. 그리고 그 과정에서 중국을 비롯한 비유럽은 그저 유럽의 욕망을 충족시키기 위한 대상으로 전락했다. 그리고 그 과정에서 과학 혁명이 일어나 유럽의 힘은 더욱 강해졌다. 이러한 유럽의 상황에도 중국은 깊이 잠든 사람처럼 깨어나지 못하고 있었고, 결국 유럽의 몹시 불쾌한 방문을 받게 된다. 그리고 이러한 역사적 교훈은 용인도 알게 되면 좋은 것이다.

X. 중화인민공화국의 탄생과 성장 그리고 용인

19세기 중엽, 유럽에서는 중국산 물품이 유행하였다. 하지만 이는 유럽과 중국의 무역 적자를 초래했다. 유럽 열강은 이러한 무역 적자를 해소하기 위해 중국에 인도산 물품을 팔고자 했다. 그러나 중국은 자국 물품에 비해 품질이 떨어지는 인도산 물품에 별다른 관심을 보이지 않았다.

이에 유럽 열강은 아편을 통해 중국을 침탈하기로 결심했다. 아편은 중독성이 강한 마약으로 유럽 열강은 중국에 아편을 대량으로 유통했고 금세 중국 전역에서 유행했다. 또한 많은 중국인이 아편 중독자가 되었다. 이러한 아편을 통해 유럽 열강은 중국인들에게서 막대한 은을 갈취할 수 있었다.

중국 정부는 아편의 유통을 막기 위해 노력했지만, 전쟁을 불사한 유럽 열강의 강압적인 태도에 굴복할 수밖에 없었다. 결국 중국은 아편전쟁에서 패배했고, 난징 조약을 체결하여 홍콩을 영국에 할양하고, 뒤이어 마카오도 포르투갈에 내어주었다. 이외에도 광저우 등 중국의 여러 지역을 치욕을 통해 조차지로 내주었다.

이후 유럽 열강은 중국을 더욱더 침탈해 나갔다. 일본도 중국을 침략하여 만주국을 세웠다. 중국은 국공 내전으로 혼란에 빠져 제대로 된 대응을 하지 못했다. 이어 제2차 세계대전이 끝난 후, 중국 공산당은 중국 국민당을 대만으로 몰아내고 중화인민공화국을 건국했다. 중국 공산당은 중국 인민에게 부를 돌려준다는 약속을 믿은 농민들의 지지를 바탕으로 승리했다.

중화인민공화국은 건국 직후부터 기존 서방의 불평등 조약을 폐지하고, 홍콩 및 마카오를 제외한 모든 조차지를 반환받았다. 이후 홍콩 및 마카오도 20세기가 끝나기 전에 서방으로부터 반환받았다. 이를 통해 중국은 제국주의의 굴욕을 씻어내고 자존심을 회복했다.

이후 중국은 급속한 경제 성장을 이루며 세계 초강대국으로 부상했다. 중국은 현재 세계에서 두 번째로 큰 경제 규모를 자랑하고 있으며, 군사력도 빠르게 성장하고 있다. 중국의 부상은 세계 질서에 큰 변화를 불러올 것으로 전망된다. 이러한 중국의 비상을 우리는 주의 깊게 살펴볼 필요가 있으며 21세기 초강대국이 된 중국의 정세를 민감하게 파악할 필요성이 강하게 요구된다. 또한 이러한 중국의 정세를 용인도 반드시 알아야 한다.

03
용인과 함께한 연구 Ⅲ

Ⅰ. 유교의 종교와 철학 논쟁

한국 역사에서 유교가 가진 위상은 상당하며 아시아 전역에서도 유교가 많은 영향을 주었다. 또한 우리가 일반적으로 생각하는 동아시아 이외의 아시아지역에서도 하나의 정치적 이데올로기로 유교가 전파되어 새롭고 혁신적으로 응용되었다.

이러한 상황에서 유교는 종교로 보거나 철학으로 보는 두 관점이 혼재되어 학자들에게 큰 혼란을 주었다. 이러한 것을 구분하기 위해 종교로써의 유교는 'Ruism'이라고 부르며 철학 사조로써의 유교는 'Confucianism'으로 구분하여 부른다.

이는 유교가 인격신과 사후세계관이 다소 불분명하여 완전한 종교로 보기 어려우므로 맹목적이고 비과학적인 신앙적 측면은 종교로 보고 현실 세계에서 유의미한 영향을 준 것과 비록 현대 시대에는 맞지 않아도 전 근대에는 정치적 사상으로 효율적인 작용을 한 부분은 철학으로 구분하여 바라보는 것이다.

Ⅱ. 유교와 유학동양학

유교는 위에서 언급한 것처럼 다양한 형태로 아시아지역에 영향을 주었고 서구와 구분되는 아시아의 정신적 실체 중 하나로 유교가 적용될 수 있다.

그러한 점에서 중립적으로 바라보기 위해 유교가 아닌 유학이라는 명칭을 사용하기도 한다. 특히 근래의 유학이라는 명칭은 철학으로서의 유교를 강조하는 것을 넘어 좀 더 중립적인 하나의 학문으로 올바르고 창조적으로 보려고 하는 것이다.

그러나 이러한 학문적 재해석 속에서 특정 철학 사조 중 하나의 학문으로 존속하는 것이 아니라 아시아 자체를 경영하면서 자주적으로 바라보는 독자적인 학문으로 별도로 성장하기 위해 유학동양학(Confucian and Oriental Studies)이라는 명칭이 등장했다.

이는 종교 혹은 철학 중 하나의 사조로서의 의미에서 탈피하여 아시아를 통섭적으로 바라보자는 의의이며 사실상 아시아지역학과 같은 학문으로 여겨질 정도로 성장했다. 특히 아시아지역학이 경영학으로 분류되는 만큼 유학동양학도 사실상 경영학으로 본다.

Ⅲ. 공자와 경영학 그리고 유학동양학

독자 입장에서는 공자와 경영학의 관계를 생각하면 상당히 의아함을 느낄 수 있다. 일반적으로 쉽게 연상되기 어려운 조합이기가 그러하다. 하지만 공자는 경영학의 상당한 선각자이며 공자의 학문은 사실상 그 표현 방법이 다르다 뿐이지 경영학과 같다.

특히 유학 십삼경의 경우 동양의 전통 경영학 서적이라고 불러도 과언이 아니다. 예컨대 십삼경으로 경영해서 성공한 기업인은 그 숫자가 상당하며 유학이 경영학이라고 부르는 이가 많은 것도 그 이유가 있는 것이다.

또한 공자의 경우 춘추전국시대의 혼란상을 극복하기 위해 유학을 탄생시켰으므로 당연히 경영적 우위성이 없으면 학문으로서 의의가 없는 것이다. 그러한 점에서 역사적 배경을 살펴보아도 경영학의 시초임을 대번에 알 수 있는 것이다.

Ⅳ. 유교의 논쟁과 결론 살펴보기

유학과 그 주위의 변화 속에서 유학동양학으로 대표되는 학술적 재해석도 동반된다. 예를 들어 유학이라고 하면 유교의 학문이라는 뜻도 있지만 근래에는 유교의 고정적 틀에서 탈피하여 보편적인 아시아의 원리를 찾아보는 하나의 학문적 구호로써 유학 혹은 유학·동양학으로 부르기도 하는데 이는 아시아지역학과 사실상 일맥상통하고 거의 명칭만 다르고 아시아지역학과 같다고 해도 과언이 아니며 당연히 경영학과도 같다.

한편 여러 학문의 예시를 통해 간접적으로 언급된 경영은 기본적으로 다른 이들에게 동기를 부여하는 일로 조직의 구조와 행동의 원리를 연구하는 중요한 분야로 기술의 발전과 소비자의 기호 변화 그리고 국제시장에서 경쟁의 심화는 이러한 경영에 대한 주목을 높이고 있으며 급변하는 비즈니스 환경에 적응하고 문제를 해결하면서도 국제화 감각도 겸비한 창의적이고 주도적인 소양을 갖춘 리더를 이 시대가 요구하고 있다.

결국 이렇게 된 시대의 요구는 그 배경에 코페르니쿠스적 혁신에서 벌어지는 것들로 이 책의 주제인 용인도 이러한 시대적 변화와 리드에 발맞추어야지만 혁신적인 21세기의 도시로 더욱 자리매김할 수 있을 것이다. 그리고 그 가운데 유학동양학으로 불리는 아시아지역학도 충분히 살펴보아야 함도 알 수 있는 것이다.

V. 영원한 망각

이제 서방에 의한 모든 형태의 독점이 깨어지고 중국이 대두되며 과거의 어두움과 폭력은 영원한 망각에 갇혔다. 하지만 그 교훈은 영원히 기억하면서 우리는 현재 앞으로 나아가고 있다.

우리가 살아가고 있는 현시대에 인류는 지구를 완전히 지배하고 있다. 지리적 한계를 뛰어넘어 구석구석을 개척하고, 우주를 개척하고자 나아가고 있다. 이미 달은 1969년에 인간이 방문하였다.

인류는 과학을 극한으로 쌓아 올려 인공지능의 발달을 이끌었다. 인공지능은 이제 단순히 기계의 지능을 뛰어넘어 인간의 지능을 모방하는 수준에 이르렀다. 인공지능은 이미 우리 삶의 많은 부분에 깊숙이 들어와 있으며, 앞으로 더욱더 우리 삶을 변화시킬 것이다.

기술의 발전은 가속화되고 있다. 기술은 기술을 발전시키고, '기술적 특이점'을 향해 앞으로 나아가고 있다. 기술적 특이점은 기술이 인간의 통제력을 넘어서 인간과 사회를 근본적으로 변화시킬 수 있는 지점이다.

인류는 언제나 새로운 것을 향해 지평선 너머로 항해하는 여행자이자 탐험가이다. 15만 년 동안 앞으로 나아온 인류는 이제 이 장에서 현재를 만난다. 앞으로 어떠한 역경과 시련이 존재하는지 아무도 알 수 없다.

그러나 인간은 지구에 등장한 순간부터 도전의 연속을 극복하고 시련을 넘어서 동물에서 지성체로 진화했다. 이제 그 승리의 역사를 뒤로하고 새로운 지혜를 얻으며 새로운 경계를 넘을 것이다.

인류의 다음 이야기는 우리가 하기 나름이다. 우리는 기술의 발전을 통해 더 나은 세상을 만들 수 있다. 그러나 기술을 잘못 사용한다면 우리를 파멸로 이끌 수도 있다.

우리는 발전의 근원인 기술을 책임감 있게 사용하고, 지구와 인류의 지속 가능한 미래를 위해 노력해야 한다. 그래야만 우리는 지평선 너머로 도전하고, 인류의 역사를 새로운 챕터로 이끌 수 있을 것이다.

Ⅵ. 힌두교의 현대화와 세계화

힌두교는 인도의 민족주의 종교이자 다신교이다. 이러한 힌두교가 현대화 되면서 세계종교로 나아가고자 하는 움직임이 있다. 이를 실현하기 위해서는 3가지의 선결 방안이 필요하다. 이는 카스트제 재해석, 일신론적 재해석, 민족주의적 폐쇄성 탈피이다.

카스트제 재해석의 경우 결론적으로 모든 신분은 평등하며 특정한 카스트가 부여되지 않고 악행을 해서 불행한 윤회를 하더라도 그것이 제삼자가 공격의 수단으로 삼아서는 안 된다는 형태로 변화하고 있다.

일신론적 재해석의 경우 힌두교는 기본적으로 다신교이지만 모든 신들이 하나이며 상황과 시대에 따라 다른 인격으로 인간과 대면하며 이러한 신을 '트리무르티'라는 명칭으로 일원화하여 통칭해야 한다고 본다.

민족주의적 폐쇄성 탈피의 경우 힌두교는 누구나 신자가 될 수 있으며 인도의 문화적 요소와 힌두교는 분리되어야 한다고 재해석해야 하며 기존의 폐쇄적인 구습도 과감히 폐기해야 한다.

이외에도 시크교, 자이나교, 바하이교, 조로아스터교, 마니교를 포용하여 남아시아 문화의 종합적 종교로 발전하면서 세계종교로 나아가도록 힌두교는 노력하고 있으며 중화권에서도 힌두교 신자가 늘어나고 있다.

Ⅶ. 중국이 부상하는 시대와 한국의 외교 전략

중국이 대국적 굴기를 강화하는 현시대에 한국은 외교적으로 대안을 마련할 필요가 있다. 장기적으로는 인도를 비롯한 제3세력을 끌어들이는 것이 필요하며 단기적으로는 문화적 부문에서 중화권 문화가 중화인민공화국이 오롯이 대표하는 것이 아닌 중화민국도 일정 부분 그 지분이 있음을 명시하는 것도 필요하다.

이외에 서방과의 외교 부문에서 네덜란드어 연합, 포르투갈어 사용국 공동체에 옵서버로 가입해야 한다. 또한 중국에서도 상당한 관심을 가지고 근래 유럽에서 떠오르는 국가인 네덜란드를 주목하여 외교관계를 증대할 필요가 있다. 네덜란드는 벨기에와 룩셈부르크에서 강한 영향을 가지며 독일에서도 그 사용자 그룹이 존재할 정도이다. 특히 룩셈부르크에서는 근래에 네덜란드어 배우기에 열풍이 심하며 벨기에에서는 네덜란드어의 영향력이 프랑스어, 독일어를 압도한다.

한편 외교를 바탕으로 한 혁신적 세계 재인식 부문을 살펴보면 동아시아 문화를 강하게 받는 베트남이 동남아시아 지도국이 되고 러시아가 다시 강성해져서 구 동구권에 강력한 문화적 영향을 미치는 점과 독일이 북유럽에 미치는 언어적 영향력, 아랍어가 아랍을 넘어서 이란과 터키에도 강한 문화적 영향력을 주는 것과 같이 시대적 융합과 혁신에서 추출된 사고가 변혁을 이끌고 있다. 국내에서도 용인으로 조선 뿐만 아니라 일본제국도 천도하고자 했던 역사적 사실의 재발굴 등 동아시아 문제는 시대적 접점이 다양한 혁신적 연구 성과를 통해 의외의 부분에서 깊게 드러나고 있다.

이외에도 외교적 부문을 다시 깊게 살펴보면 시리아와 수교를 하고 소말릴란드, 북키프로스, 서사하라와 같은 미수교국에 대표부를 설치하고 대만 및 팔레스타인과의 외교 관계를 강화하며 특히 대만과는 민간 부문 교류를 확대함과 동시에 한국 문화가 확산하여 한국, 중국, 일본 문화가 혼합된 국가라고 대만이 국제적으로 평가받는 만큼 내부적으로 한국 문화를 확대하기 위한 외교적 노력도 필요하다.

위에는 언급한 것 이외에도 중국과 인접국인 몽골도 살펴볼 필요가 있다. 몽골은 현재 부상하고 있는 국가이며 중국 내부의 내몽골 자치구에도 강한 영향력을 미치고 있으며 역사적으로 티베트와 거란, 선비를 비롯한 유목민족도 현재는 사실상 흡수시켰으며 대표적인 유목민족으로 세계의 거의 모든 유목민족에 강한 영향을 주었기에 그 네트워크를 현재도 외교에서 활용한다. 그리고 일본에도 몽골인 공동체가 깊게 형성되고 일본 사회에 영향을 주고 있어 이러한 부문에서 일본도 관심이 있고 이는 일본 내부의 몽골 외교 역량을 보여주므로 몽골의 위상은 상당히 올라가고 있다.

결론적으로 이러한 외교적 변화상에 대해서 잘 살펴보아야 하며 그 속에서 한국이 잘 대비해야 새로운 중국 굴기 시대의 외교적 성과를 얻을 수 있는 것이다.

Ⅷ. 대안적 중국어 학습 확대의 필요성

근래의 중국어 학습은 중화인민공화국 주도의 교습법 위주로 이루어지고 있다. 이는 실용적인 측면에서 도움이 되는 것은 사실이지만 유사시 중화인민공화국의 관점에 너무 깊게 침습될 위험이 있다.

따라서 중화민국의 중국어 학습법을 대안적 학습으로 확대해서 중화인민공화국 방식과 병행하고 공존하게 하여 유사시 불안함을 해소할 수 있도록 해야 한다. 특히 중화민국의 학습법 중에서 주음부호와 통용병음이 특이한 점이므로 그 부분에 대한 학습을 강화하면서 중화민국 특유의 어휘도 잘 살펴보아야 한다.

이외에도 중등 교육과 연계하여 살펴보면 대게 중등교육에서 언어적 학습이 단편적인 어문 학습에 그치지 않고 다방면의 연계가 필요하다. 예컨대 과학중점고등학교의 경우 지정 해제 인가 이후 2년이 지나면 지정이 해제되도록 법에 정해져 있으므로 그때까지는 과학중점고등학교이다. 이러한 과학중점고가 일반 고등학교로 전환하면서 문과 교육을 늘릴 때 이러한 대안적 중국어도 하나의 학습 방안으로 제시가 가능하다.

한편 이러한 대안적 중국어 학습과 연관된 고등교육에서의 여러 아시아지역학 과목을 살펴보면 아시아경영 측면에서 활용 가능한 아시아지역학 과목은 위대한지도자와그들의선택, 문화예술과감각활용, 바이오헬스인문학 등이 있다. 이러한 과목들은 창조성과 자유를 담은 것이며 그 교습 과정에서 원어를 사용해서 강의한다면 아시아지역학을 통해 사례 중심의 중국어 학습에 도 도움을 줄 수 있는 과목으로 활용 가능하다.

IX. 동아시아 문제의 재해석

중국을 포함한 동아시아 문제를 독립적으로 재해석할 필요성이 근래에 제기된다. 대표적으로 종교의 경우 도교는 중국의 민족 종교이지만 세계적 특성이 있는 것은 자명한 사실이다. 그러나 한국의 동학, 일본의 신토가 중국의 도교와 비슷한 위상이 있으며 세계적 특성과 보편성이 있다는 것은 최근에 밝혀진 사실이다.

한편 동학은 원불교, 천도교, 대종교, 증산도, 선교 등 한국의 모든 민족종교를 포괄하며 신토도 행복의과학, 천리교 등 일본의 모든 민족종교를 포괄한다는 것도 새롭게 알려진 사실이다.

이외에 '국제연합헌장 및 국제사법재판소규정'에 있는 적국 조항도 당시의 추축국인 일본제국, 나치독일, 이탈리아왕국과 현재의 일본국, 독일연방공화국, 이탈리아공화국은 별개의 국가이며 적국 조항을 후자의 국가에 대상으로 포함할 수 없으므로 사실상 사문화된 조항으로 보는 것도 새롭게 재해석 된 사실이다.

이외에 한국, 중국, 일본의 학벌주의 심각성과 특정 학교 출신이 그 국가 내부의 사법부를 독식해서 문제를 일으키는 것에 대한 획기적인 개선 필요성도 새롭게 밝혀진 사실이다.

결론적으로 이러한 동아시아의 여러 문제를 창조적으로 제기함으로써 새롭게 동아시아가 독립적으로 재해석하고 해소할 수 있는 계기가 된다는 의의가 있으며 새로운 동아시아 공동체 건설로 나아가는 밑거름이 된다는 의미도 찾아서 우리가 살펴볼 수 있다.

X. 탐험욕과 제국주의의 기묘한 만남

인류는 본능적으로 탐험을 갈망한다. 아프리카를 벗어나 유라시아로, 그리고 끝내 전 세계로 퍼진 인류는 신대륙을 발견하고 대항해의 길로 나아갔다. 콜럼버스에 의해 신대륙이 발견되고 그곳의 진귀한 것들이 유럽에 알려지면서, 유럽인들은 너도나도 탐험에 나섰다. 중국도 명나라 정화의 대원정을 통해 항해에 관심을 가지긴 했지만 아쉽게도 일회성에 그쳤다.

한편 유럽인들은 자신들을 제외한 사람들이 대항해에 적극적으로 나서지 않았기에, 사실상 그 내부에서 독점적으로 나설 수 있었다. 그리고 그들은 더 많은 식민지와 수탈할 대상을 찾기 위해 엄청난 욕망을 불러 나갔다. 그리고 그 욕망 아래에는 비유럽인의 눈물로 가득했다.

인류의 탐험욕은 본능적이기에 그 목적지는 어디든지 상관없이 끊임없이 탐험을 해왔다. 콜럼버스의 신대륙 발견은 유럽인들의 탐험욕을 자극하는 계기가 되었고, 그들은 중국에 비해 적극적으로 탐험에 나섰다.

그리고 그 결과, 유럽은 식민지 확장과 수탈을 위한 제국주의의 길로 나아갔다. 그리고 그 제국주의의 폐해로 인해 중국인을 비롯한 비유럽인은 크나큰 고통과 희생을 겪어야만 했다. 그리고 그것이 역사의 교훈이다.

04
용인과 함께한 연구 Ⅳ

Ⅰ. 조선 지식인과 아시아지역학 그리고 혁신경영

아시아지역학은 혁신성과 경영학이라는 두 축을 바탕으로 서 있는 학문이다. 혹자는 아시아지역학을 혁신경영이라고 줄여서 부를 만큼 그러하다. 이러한 점에서 아시아지역학은 역사적으로 조선 지식인 중에서도 그 모습을 엿볼 수 있는 점이 있다.

특히 정몽주와 이황은 아시아지역학에서 대 스승이라고 부를 수 있을 만큼 그들의 사상이 경영학과 아시아지역학에 비슷한 면모를 보인다. 특히 포은의 정신이 깃든 죽전동의 죽전 사상에 대해서 아시아지역학이 그 물리적 기반을 두고 관심을 가지는 모습도 그러한 것 중의 일부이다.

또한 퇴계 사상은 아시아지역학에 깊은 연구적 영향을 주고 있다. 다만 율곡 사상과는 상당한 거리가 있어 이것을 역사적으로 볼 때는 주의가 필요하기도 하다.

이는 마치 치의학의 발전에 대해서 깊은 관심을 기울이고 특히 치아의 여러 마모로 인한 것에 자연 회복 기술 개발의 시급성을 우리가 강하게 인식한다고 해서 이게 마치 현재의 레진을 씌우는 기술을 옹호하는 것이 결코 아니라는 것과 같다.

그러므로 아시아지역학은 해오름의 학문이자 퇴계와 죽전의 학문이라고 할 수 있으며 경영학과 혁신성 위에 선 아시아 특유의 학문이면서 경영학과는 부자 관계라고 할 수 있다.

II. 전문직 교육에 관한 논제

우리 사회에서 전문직이라고 하면 기본적으로 생각나는 것이 의사와 변호사이다. 전자는 의과대학 혹은 의학전문대학원에서 양성되고 후자는 법학전문대학원에서 양성된다. 하지만 의사와 변호사 모두 그 숫자가 부족하여 양성 시설의 증가가 요구되는 상황이다.

이러한 상황에서 전자인 의과대학은 '프리메드(Pre-med)'라는 새로운 개념이 등장한다. 이는 원래 미국과 같이 완전 의학전문대학원 체제인 국가에서 의전원 진학을 위해 받는 교육 트랙의 이름이었다.

하지만 근래의 우리나라에서는 의전원 혹은 해외 의대(해외 의전원 포함) 진학을 위한 예비 학교 개념의 역할로 그 의미가 다소 변하였다. 그러므로 우리가 여기에서 언급하는 프리메드는 한국 사회에서의 의미에 국한하여 설명하는 것이다.

기본적으로 한국 사회에서 프리메드는 해외 의대 진학을 위한 사설 학원 혹은 교습소를 먼저 떠올린다. 하지만 이는 교육법 상 정식 학교가 아니므로 이에 대해서는 추가적으로 논의하지 않도록 하였다. 그러므로 국내 대학에서 프리메드를 하는 사례를 열거하면 대표적으로 숙명여자대학교 생명시스템학부가 존재한다. 알다시피 숙명여대는 의과대학이 없다. 하지만 의전원 혹은 해외 의대를 졸업한 숙명여대 동문이 상당하다.

이는 숙명여대 생명시스템학부에서 의전원 혹은 해외 의대(졸업 후 국내 의사 면허 취득 포함)에 진학하고자 하는 학생들에게 맞춤형 기본 의학 교육을 시행하고 관련 프로그램이 잘 개설되어 있기 때문이다. 이러한 것은 의대가 없어도 실질적인 의사 동문 네트워크를 구성해서 사실상 의대가 있는 효과를 낼 수 있는 것이다.

또한 사실상 의예과 역할을 하는 이러한 프리메드가 더 설치된 학과의 경우 생명보건대학 내 식품생명공학과, 정보융합대학 내 스마트헬스케어학부, 생명·나노과학대학 내 생명시스템과학과, 보건의료과학대학 내 바이오의약학과, 건강보건대학 내 바이오융합학부가 개설된 사례를 볼 수 있다. 이외에 인접한 메디컬 교육에 대해 좀 더 첨언을 하자면 수의과대학의 경우 건국대학교 수의과대학이 1위로 평가받는데 이러한 수의대는 생명공학대학 내 개설된 융합생명공학과를 수의대 판 프리메드로 본다.

한편 후자인 법학전문대학원(로스쿨)을 살펴보면 국내에서 사법시험이 폐지된 이후 유일하게 법조인이 될 수 있는 교육 기관이다. 또한 로스쿨이 설치된 대학은 정부 정책에 따라 법과대학을 폐지하였다.

하지만 로스쿨이 설치되지 않은 대학은 법과대학을 유지하고 있으며 법학사를 취득할 수 있다. 이러한 법과대학 중에서 일부 대학은 위에서 언급한 프리메드처럼 예비 로스쿨 형태로 법과대학 학부 과정을 온전히 유지하고 있다. 대표적으로 동국대학교, 단국대학교, 경상국립대학교, 숙명여자대학교 법과대학이 있다.

또한 이들 대학은 미국 변호사 시험(취득 후 국내 외국법자문사 등록하는 경우 포함)을 준비하기도 하는 등 사실상 로스쿨을 가지고 있는 효과를 내고자 한다. 또한 이러한 법예과형 로스쿨이 더 설치된 경우를 찾아보면 사회과학대학 내 경찰행정학과, 사회과학대학 내 법학과 혹은 법학부, 공공인재대학 내 법학과, 인문사회대학 내 법학과가 개설된 사례가 있다.

이러한 두 사례에서 보듯 전문직 교육은 법령상 면허를 부여할 수 있는 교육을 제공하는 기관이 없더라도 사실상 교육 기관의 노력에 따라서 그것이 있는 것과 동일한 효과를 낼 수 있음을 우리는 알 수 있다.

Ⅲ. 통일민주당의 역사적 고찰

한국 정치사에서 민주당계 조상의 창시는 1955년에 창당된 민주당으로 본다. 이 민주당은 5.16 군사 반란 이후 일시적으로 모든 정당의 해산을 제외하면 사실상 일관되게 잘 이어진 것을 알 수 있다.

그러나 12.12 군사 반란 이후 신민당이 해산되면서 이러한 민주당계 정당의 역사에 혼란이 발생한다. 물론 신민당을 해산하고 대부분 정치 금지 조치를 받았으나 일부 여권에 호의적인 인사들에 의해 민주한국당이 창당되었고 이것이 신민당의 정통성을 일단 그 상황에서는 계승한 것으로 본다.

이후 민주한국당의 여당 2중대화에 반대한 당원과 정치 금지 조치를 해금 받은 인사들에 의해 선명 야당인 신한민주당이 창당된다. 이 신한민주당의 창당으로 민주당계 정당의 정통성은 신한민주당으로 넘어간다.

이후 신한민주당이 내각제 파동으로 통일민주당으로 분당한다. 이때의 통일민주당이 민주당계 정당의 정통성을 계승한다. 다만 이후 1987년 대통령 선거 과정에서 김대중과 김영삼 두 후보의 단일화가 실패하고 이후 3당 합당으로 통일민주당이 사라지면서 해석상 여러 혼란이 발생한다.

당시 1987년 대통령 선거 정국에서 통일민주당과 평화민주당 중 민주당계 정당의 지지자와 재야 및 학생 운동권의 지지를 보편적으로 받은 것은 평화민주당이다. 고로 민주당계 정당의 정통성과 흐름을 볼 때는 평화민주당이 분당하여 창당된 시점부터는 평화민주당이 그 민주당계 정당의 정통성을 가진다고 보아야 한다.

즉, 통일민주당이 민주당계 정당의 정통성을 가지는 것은 창당 직후부터 평화민주당 창당 직전까지 그 기간만이며 평화민주당 분당 이후에는 사실상 민주당계 정당으로 보지 않아야 한다는 해석도 존재한다.

고로 평화민주당 창당 이전의 통일민주당과 이후의 통일민주당을 분리해서 바라봄으로써 민주당계 정당의 정통성을 바르게 재해석해야 한다.

Ⅳ. 시민의 두 가지 의미

우리가 시민이라고 하면 대개 특정 시에 거주하는 주민을 의미한다. 하지만 정치학에서 시민은 전자의 뜻도 있지만 우리가 설명할 후자의 뜻도 분명히 존재한다.

왕국에서 그 구성원은 신민이라고 하지만 공화국에서 그 구성원은 시민이라고 한다. 여기서 시민은 어원은 도시의 주민이지만 의미가 확장되어 주권을 가진 공화국의 구성원으로 해석한다.

그러므로 시민이라고 작성된 단어를 볼 때는 전자와 후자의 의미를 행간으로 잘 살펴서 조심히 해석할 강한 유의점이 있다.

특히 후자의 시민을 해석할 때는 시에 거주하지 않는 주민의 오해와 박탈감을 해소하기 위해 공민이나 다른 보조적 해석을 첨부하여 의미를 잘 주지시키도록 노력해야 한다.

V. 국내 미션스쿨 대학의 성격적 고찰

학교에서 종교 교육을 하는 곳을 미션스쿨이라고 한다. 초등교육과 중등교육에서는 종교 재단이 학교를 소유하여도 대게 그 종교적 교육이 제한받는다. 하지만 대학의 경우 좀 더 재단의 종교 교육 자유성이 높다.

그러한 점에서 국내 미션스쿨 대학의 성격을 살펴보자면 종합대학과 리버럴 아트 칼리지형 대학을 구분해서 봐야 한다.

종합대학의 경우 종교 교육을 하더라도 그것이 학교의 성격을 규명하는 것에는 별다른 영향을 미치지 못한다. 종교가 학교의 한 가지 특색에 불과하기 때문이다.

하지만 리버럴 아트 칼리지형 대학의 경우 대개 대학원이 있어도 학부 중심 교육을 하며 학교 내부의 정원이 많지 않다. 또한 종교 교육의 농도가 종합대학에 비해 훨씬 강하며 특히 국내에서 기독교 관련 대학의 경우 기독교로서 과학을 해석하고자 하는 성향이 더욱 강해진다는 평이 있다.

이러한 점에서 리버럴 아트 칼리지형 대학의 경우 그 대학은 사실상의 문과 대학이라고 봐야 한다.

즉, 일종의 인문사회형 과학기술원으로 비유할 수 있다. 이는 종교 교육이 강하게 투영되고 실시되는 대학에서는 자연과학적 접근법이나 고찰에 어려움이 있고 종교 교육 특성상 인문사회과학에 가까우므로 그 대학의 성격을 문과 대학으로 규정할 수밖에 없다.

VI. 학벌주의 문제의 재발견

한국 사회에서 학벌주의가 일으키는 문제는 상당히 심각하며 이러한 것에 대해서 사회적으로 여러 개선 방안에 대해서 논의된 바가 있다.

21세기 들어서 서울대 일극주의가 사회 여러 분야에서 완화된 것은 사실이다. 일례로 미학의 경우 홍익대 예술학과도 사실상 미학과로 평가받으며 미학 분야에 많은 진출을 이루어지고 있다.

또한 교수를 재직하는 학교에 동문으로 보는 관점의 재해석이 일어나면서 학교의 집단적 부족주의가 완화되는 것도 긍정적인 신호이다.

하지만 법조계에서는 아직 서울대 법과대학 출신 독점이 상당히 심각하다. 특정 대학이 법조계 안에서 상당한 비율을 차지하는 것은 세계적으로 전례가 없다.

이러한 부분에서 해결할 수 있는 올바른 방안을 고민해 본다면 학벌주의를 상당히 완화할 수 있다고 보인다.

Ⅶ. 한국 외교의 재발견

한국 외교의 편협함이 일으키는 문제에 대해 상당히 많은 아쉬움이 지적되는 것은 사실이다. 이러한 부문에 대해서 적극적으로 해소할 방안에 대해서 깊이 있게 논의하고자 한다.

외교 공관에서는 종교에 대한 대표부 설치도 고려해 볼 필요가 있다. 바티칸 시국에 대한 대사관도 사실상의 천주교에 대한 대표부이므로 국제적으로 영향력이 강한 성공회와 정교회 관련 대표부(해당 본부 소재 국가의 영사관 형태)를 만드는 것도 좋을 것이다.

이외에 국제기구로 CONIFA, 사회주의인터내셔널, 자유주의인터내셔널, 중도민주인터내셔널, 해적당인터내셔널, 진보동맹, 진보주의인터내셔널, 상파울루포럼, 자유지상당국제동맹에 정부 혹은 정당 그리고 지역이 가입하는 것도 고려할 가치가 있다.

외교적 관계에 대해서도 살펴보면 폴란드, 네덜란드, 아르메니아, 구호기사단, EFTA와의 외교 관계를 강화해야 한다. 특히 네덜란드는 북유럽협의회와 비셰그라드 그룹에서의 영향력이 강하므로 더욱 주목해야 한다.

또한 경제 외교에서는 몽골, 러시아, 아프리카와 자유무역협정을 추진할 필요성이 있다. 이외에도 세계국가사회주의연합, 공산당-노동자당국제기구와 같이 급진적 이념 성향의 기구와도 최소한의 외교적 대화를 검토할 필요성도 제기된다.

더불어서 IMF 총재도 한국인 혹은 한국계 외국인이 할 수 있도록 하고 내몽골의 독립성 강화에도 기초적인 지원을 할 필요성도 있다.

스포츠 외교적 측면에서는 월드게임과 데플림픽을 유치하고 동계 월드게임 창설에 나서야 한다. 이외에 미식축구, 아이스하키, 크리켓, 카바디가 국내에서 활성화될 수 있도록 지원할 필요성도 높다.

통일 외교 측면에서는 현재 민족화해범국민협의회를 키워야 하며 여기에 국민의힘과 전국민주노동조합총연맹이 가입할 수 있도록 해야 한다.

또한 국제기구인 월드비전의 영향력 확대도 깊이 고민해야 하며 한반도 통일을 지지하는 일본 공산당, 영국 자유민주당과 같은 외국 정당도 깊은 관계를 건설하도록 해야 한다.

Ⅷ. 한민족 문화 성장 방안

한국의 문화적 성장을 위해서는 한민족 문화를 반드시 키워야 할 필요성이 있다. 특히 다문화 시대에 그 동화 방안에 대해서도 몹시 심각한 고려가 반드시 필요하다.

이를 위해서는 한류로 유명한 국내 인기 아이돌의 외국인 멤버가 한국화 될 수 있도록 영주권과 같은 편의를 제공하고 한국계 외국인의 성과에 대해서도 국내에 널리 알려야 한다. 특히 이러한 한국계 외국인 중에서 김용전 세계은행 총재의 업적을 한국에 널리 알리는 방안에 대해서도 고려해 볼 필요가 있다.

이외에 대만에서 외성인은 국민당 지지자이자 친중, 본성인은 민중당 지지자이자 친일로 여겨졌는데 여기에서 소외된 원주민, 귀화인과 합한족이 민중당 지지자이자 친한으로 결합하고 있다.

이러한 것을 적극 지원하고 대만의 문화적 기초 중 하나로 한국 영향력이 있다는 의견이 나올 정도로 강력한 역사적 교류 관계의 재조명과 문화적 전파 방안을 깊이 숙고해야 한다.

또한 국내 교회와 성당을 비롯한 다양한 종교 시설의 문화재적 가치를 다시 제고하여 기존의 관념을 창조적으로 탈피하여 새로운 문화유산의 창조적 확대를 꾀할 필요성도 추가로 제시할 수 있을 것이다.

IX. 문화적 지리의 재발견

우리가 흔히 생각하는 행정구역은 실제의 생활권과 일치하지 않는 경우가 많다. 이러한 생활권을 대게 문화적 지리라고 부른다.

이러한 사례를 열거해보자면 천안시 성환읍은 사실상 평택시이며 안양시 박달동, 충훈동, 석수동은 서울특별시이고 양산시 웅상지역은 의령군 및 함안군과 상호 깊은 연고 관계가 있다.

이외에 포항시의 포항경주공항은 경주시 생활권이기도 하며 성공회대학교는 부천시와 깊은 연고 관계가 있고 원광대학교는 전주시와 깊은 연고 관계가 있다.

또한 전주시와 익산시는 익산시가 전주시의 배후도시이고 상호 교류가 활발한 점도 있으므로 이러한 문화적 지리에 대해서 잘 이해하고 실제의 생활권에 따른 도시 교류도 추진할 필요가 있다.

X. 알파라이징적 사고

알파라이징은 서로 다른 세상이 만나 새로운 가치를 창출하고 세상의 진화를 이끈다는 뜻으로 세계의 혁신적 변화를 집약한 신조어이다.

그 예시로 KTX와 경쟁하는 SRT가 독일 ICE를 참고할 필요가 있다든지 스칸디나비아의 범위에 핀란드를 포함하는 것과 한의학이 중의학을 넘어 세계의 대체의학을 흡수하여 발전할 필요성이 있는 것을 들 수 있다.

또한 위에서 언급한 것 이외에도 아시아와 중동을 분리해서 지리적으로 바라보는 것 마틴 루터 킹 비폭력 평화상과 같은 대안적 평화상을 높이는 것도 그러하다고 할 수 있다.

한편 상식을 바로 세우는 것도 이러한 알파라이징의 하나일 수 있다. 설과 추석에서 유교적 색채를 빼고 보편적 민족 명절로 만들고 일부 연예인 우표는 나만의 우표로 공식 우표가 아니므로 그것에 대한 허위적 의미를 삭제하고 지역 명칭을 사용하는 사립대 중 경남대학교처럼 국립대에 준하는 무게감을 가지면 준 국립대로 인정하는 것과 같은 혁신도 상식의 재정립이자 올바른 알파라이징이다.

05

용인과 함께한 연구 V

Ⅰ. 외국어 교육의 위상과 합리적 개선

국내에서는 어문 계열에 대한 인식이 약하지만 외국에서는 외국어를 전공하는 대학생에 대해서 우수한 대우를 하는 경우가 많다. 특히 국내에서 특수외국어 진흥법에 따른 희귀한 외국어 전공의 경우 외국에서는 거의 국내에서 의대의 인기에 필적할 만큼 상당하며 희귀한 외국어 전공 대학생은 소속 대학에 상관없이 상당한 명문대에 재학 중인 학생과 동일한 대접을 한다. 이는 국내에서 다소 낮은 대학이라도 의대생의 경우 서울대 이상으로 취급하는 것과 같다.

이러한 점에서 국내에서의 외국어대학 인식이 낮은 것은 상당히 아쉬운 것을 넘어 국가의 위상을 깎아내릴 수 있는 것이다. 그러므로 국내에서 외국어대학과 특수 외국어 전공 대학생에 대한 국가적 차원의 지원을 확대할 필요성이 있다.

또한 단과대학으로 외국어대학이 설치된 대학과 국제학부가 설치된 사실상의 외국어대학인 대학에 대한 국가적 지원도 필요하다.

한편 이러한 움직임을 보면서 최근 국내에서도 몽골학을 전공하는 대학생을 상당한 명문대생에 준하는 수준으로 우대하는 점에서 위에서 언급한 문제 제기에 대한 국내의 변화 면모를 알 수 있다.

II. 우리 철학과 고조선

우리의 정신적 고유 철학인 동학을 재정립할 필요가 있다. 그 후신 종교인 천도교, 대종교, 증산교, 원불교 간의 화합과 비불교, 비유교, 비기독교의 국내 고유 철학과의 융합을 통해 하나의 큰 세계관으로 확장할 필요성이 제시된다. 즉 동학은 비불교, 비유교, 비기독교 한국 고유 철학의 종합이라고 정의할 수 있다.

특히 근래의 외국 대학 출신이 서울대 위의 존재로 여겨지는 사회적 풍토가 학벌 완화에는 긍정적이지만 우리 문화적으로는 아쉬운 부분도 많다. 이를 위해서 대학 측면에서도 이원화캠퍼스는 본교에 속한 확장 캠퍼스로 보고 분교는 본교와 별도의 그 소재 지역의 향토 대학으로 기능하면서 그 가운데 각자의 지역 문화를 대학에서 연구하는 기능적 방안도 검토할 필요성이 깊이 제시된다.

지리적인 측면에서 수도권 일극 주의를 타파하여 제2도시인 부산의 역사적 정통성을 다시 살펴보고 안보적 측면까지 고려하여 남부권 종합 발전 계획도 하여 균형적 지리 발전을 도모해야 한다.

한편 북한이 개건한 단군릉도 그 역사적 의미를 새롭게 정립하여 부정적 측면과 긍정적 측면을 균형 잡히게 살펴봐서 고조선을 느끼는 체험의 장으로 쓸 필요성도 상당 부분 있다.

III. 상식을 뒤집는 혁신

우리의 통념적 관념에 자리 잡은 상식을 한 번은 재고할 필요가 있으며 그러한 혁신을 통해 우리 사회의 변화는 앞으로 나아갈 수 있는 것이다.

먼저 근래에 남자 아이돌이 인기 없는 것에 대해서 논하자면 남자 아이돌은 여자 아이돌과 달리 팬덤 중심 경제 구조로 되어 있으므로 대중성을 놓쳐서 대중적 인지도가 상실되었기 때문이다.

또한 오디션 프로그램 조작 문제를 논하자면 그 조작에 대해서 알든 모르든 간에 조작으로 수혜를 입은 데뷔 멤버는 그것에 대한 사과와 피해자의 배상 책임이 반드시 존재하는 것이다. 이는 우리나라에서 장물 취득범에 대한 처벌을 하는는 것을 생각하면 그러하다.

이외에 지리적인 면에서 중국 인명 표기에 있어 신해혁명 이전 인사에 대해서도 중국어로 표기해야 하며 국내 행정구역 중 구의 경우 해당 구가 자치구면 독립된 하나의 도시로 보아야 할 필요성이 있다. 그리고 지구평면설을 축소시키기 위해서는 지구공동설을 대항마로 내세워서 다시 생각하도록 적극적으로 지원해야 한다.

마지막으로 미국의 노턴 1세는 일종의 비주권군주제로 보아야 한다. 이는 미국 대중에게 상당한 영향력을 행사했으므로 주권은 없지만 그 자체로 군주이기 때문이다.

Ⅳ. 여러 가지 견해와 주장들

연구회의 개별적 탐구 중에서 토막글을 모아서 하나로 정리해보고자 한다. 이는 하나로 만들기에는 너무 짧아 여러 가지 주장을 일목요연하게 엮어보고자 하는 것이다.

먼저 한국의 미래 먹거리로 우주과학을 발전시킬 필요가 있다. 특히 천문학에서 새로운 신성인 단국대, 숙명여대, 성균관대를 주목하여 혁신적 발전을 추구해야 한다.

제주 사투리는 하나의 언어로 그 체계를 이룰 수 있도록 제주어를 선포하고 기존의 한국 인공어인 우니시와 결합하여 한자어 및 외래어 단어를 줄어야 한다.

그리스는 아테네의 후손이기도 하지만 스파르타의 후손이며 스파르타 문화를 키워야 그리스의 균형적인 발전이 가능하다는 의견이 해외에서 근래에 등장한다.

학벌에 있어 고시에서의 서울대 독점을 완화하고 로스쿨 학생 중 서울대 출신 비율을 인위적으로 완화할 필요성이 제기된다. 한편 로스쿨 출신의 경우 의전원처럼 학부가 아닌 출신 로스쿨을 학벌로 내세우고 출신 학부를 가려야 한다는 주장도 제기된다.

용인시가 주요 외국어로 독일어, 몽골어, 러시아어, 프랑스어, 포르투갈어, 이탈리어어를 관심 있게 보고 있으며 국제도시로 천안시, 화성시, 안성시, 평택시와 함께 나아가고자 한다는 의견이 있다. 또한 용인시가 과거 처인성 전투와 같은 역사적 사례 이외에도 경제적, 사회적, 문화적으로 몽골과 깊은 관계와 교류를 하고 있다는 견해도 있다.

일부 정치학자들 사이에서 박근혜 전 대통령은 정치학에서의 독재자로 보기 어려우며 1987년 대선은 충청북도에서 김종필 후보가 1위를 하지 못했으므로 어느정도 조작으로 볼 수 있다는 견해도 있다. 국제정치에서는 코소보와 알바니아는 이슬람 국가로 볼 수 없으며 오히려 기독교 문화권에 깊은 영향을 받았으며 유럽에서는 이슬람 문화권이 사실상 없다고 주장한다.

세종특별자치시 전의면, 전동면, 소정면, 조치원읍은 사실상 수도권에 포함되며 서울역에서 조치원역까지의 무궁화호는 근래에 GTX가 대두되는 것으로 볼 때 사실상의 수도권 전철 역할을 한다고 봐야 한다는 주장이 상당히 깊게 대두되고 있다.

한남동도 아시아지역학과 깊은 관련 있으며 인도와 몽골의 사례를 경영학과에서 많이 참조하며 아시아지역학에서도 상당한 관심이 있다는 견해가 있다. 이외에 글로벌한국어과는 한국어를 중심으로 하여 언어학을 이해하고 다양한 외국어를 다루며 실험장과 같은 언어 교육을 지향하는 경향이 있다는 주장이 있다.

죽전이 바이오문화유산학, 공공관리학, 공공정책학에도 관심이 있으며 아시아지역학이 프리무스적인 관점에서 국제화하는 것을 죽전이 함께하고 있다는 학술적 견해가 용인 일각에서 제시된다.

최근 여성 격투기가 진흥되는 것은 더 이상 격투기와 같은 무술이 남성의 전유물이 아니게 되는 것으로 페미니즘의 확대에 긍정적 도움이 된다는 주장이 있으며 한국에서도 여자 프로레슬링 단체가 설립되고 관련 경기가 열려서 여성의 무술 확대에 도움을 주어야 한다는 견해와 움직임이 대두되고 있다. 또한 여성 스포츠 중 피겨에서는 아사다 마오는 김연아의 유일한 라이벌이며 마오 선수의 기술에 대해서 다시 재해석하여 한국 피겨의 발전에 자료로 사용하자는 주장도 있다.

국제적으로 대학에서의 F학점에 대해서 학생의 상황에 따라 부득이하게 받았거나 불의의 저항하는 차원에서 받은 것이라면 부정적으로 보지 말고 오히려 그것에 대해서 사실상 없는 것으로 봐야 한다는 견해가 있다. 이외에 학점은행제, 독학학위제의 경우 해당 학위와 동일 혹은 유사한 학위를 여러 개 가지고 있어도 추후에 대학에서 전공하여 취득하면 그 학위는 모두 없는 것으로 봐야 한다는 주류적 관점이 상당히 존재한다.

이외에 정치적인 부문에서 대한민국 제5대 국회의원 선거처럼 양원제 의회로 구성된 국가에서 양원 모두 직선제 선거로 구성된다면 양원 의석의 합산으로 제1당과 2당 등을 구분해야 한다는 주류적 의견이 있다.

또한 경제적인 부문에서 한국 원화도 특별인출권 대상이 될 수 있도록 국제적으로 의지를 모아야 하며 그 경제적 위상을 높여야 한다는 의견도 있으며 인도 루피화도 기축통화가 될 수 있다는 주장도 있다.

과거사에서는 성균관의 역사에서 조선만 보지 말고 고려의 성균관도 계승한 것으로 보고 신라의 국학, 고구려와 백제의 태학, 발해의 최고교육기관, 고려의 국자감 등을 통합적으로 계승하여 현재까지 오고 있음을 선포하고 이러한 역사를 유교 교육이라는 협소한 틀을 넘어 전통적 최고교육기관의 총합체로 봐야 한다. 또한 당시 성균관은 일본의 개편에 반대하여 재야에서 경성제국대학도 거부하고 독자적인 고등교육을 하였다. 이는 그 당시 특이한 점은 남양 연구가 상당한 수준이었다는 점이며 한국사학에서도 가장 우수했다는 것이다. 이는 현재의 성균관대학교도 그러하다.

한편 우리 역사에서 왕의 아버지가 왕이어야 한다는 관점은 상당하다. 이러한 점에서 왕의 아버지를 대개 추존한 경우가 많다. 그러나 왕의 아버지 혹은 그 선대의 조상 중에서 추존되지 않아 아직 왕이 아닌 경우가 존재하는 데 이를 해소할 필요가 있다.

예컨대 고려의 경우 공양왕의 선조인 왕균, 왕유, 왕분, 왕영, 왕인, 왕서를 모두 추존하여 왕에서 왕으로 왕위가 계승된 것으로 해야 한다. 이외에도 발해의 경우 사료가 많지 않아 잘 알 수 없으나 좀 더 조사하여 왕과 왕 사이에 왕이 아닌 조상을 모두 추존하여 고려의 예와 같이 해야 한다.

또한 삼국시대의 국가를 살펴보면 고구려는 재사, 돌고, 조다를 추존하고 백제는 동성왕과 무왕 사이의 조상을 추존하고 신라는 김알지부터 욱보까지의 조상, 구추, 이매, 골정, 말구, 대서지, 걸숙, 우로 동륜, 용수, 의흥대왕 선대 중 왕이 아닌 조상, 선성대왕 선대 중 왕이 아닌 조상을 모두 추존하면 대한민국의 국가적 정통성이 바로 설 것이다.

V. 고조선의 역사

고조선은 기원전 2333년에 아사달에 도읍을 지어 생긴 한민족의 첫 국가이다. 아사달의 위치는 정확히 알 수는 없지만 만주 일대의 한 지역으로 추정하고 있다. 국호는 조선으로 하였으나 후대에 이성계에 의해 건국된 조선(이씨조선)과 구분하고자 고조선이라고 부르고 있다. 또한 군주의 명칭은 단군이라고 불렀다.

초대 단군인 왕검은 93년의 재임을 하였다고 알려져 있다. 웅녀라고 불린 여인과 혼인하였고 현재의 헌법과 같은 역할을 하는 기본법인 8조법을 제정 및 반포했다.

2대 단군 부루는 58년 재임을 했다. 왕검의 뒤를 이어 재임하며 국가의 기반을 세우고 국경을 정비했으며 도량형을 통일하고 세금을 정하였다. 3대 단군 가륵은 45년의 재임을 했으며 4대 단군 오사구는 38년을 재임했다.

5대 단군 구을은 16년 재임을 했으며 6대 단군 달문은 36년 재임을 했다. 7대 단군 한율은 54년 재임을 했고 8대 단군 우서한은 8년 재임을 했다. 이어 9대 단군 아술은 35년 재임을 했는데 구월산 남쪽 기슭에 새 궁전을 지었다고 전해진다. 10대 단군 노을은 59년 재임을 했고 11대 단군 도해는 57년 재임을 했으며 12대 단군 아하는 52년 재임을 했다.

13대 단군 흘달은 61년 재임을 했고 넓어진 국토를 관리하기 위해 주와 현을 세웠다. 14대 단군 고블은 60년 재임을 했고 하늘의 기우제를 지내고 첫 호구 조사를 했다. 15대 단군 대음은 51년 재임을 했고 16대 단군 위나는 58년 재임을 했다. 17대 단군 여을은 68년 재임을 했고 18대 단군 동엄은 49년 재임을 했다.

19대 단군 구모소는 55년 재임을 했고 20대 단군 고홀은 43년 재임을 했다. 21대 단군 소태는 52년 재임을 했는데 이 시기에 상나라의 침공으로 전쟁을 해서 승리했다는 기록이 전해진다.

22대 단군 색불루는 48년 재임을 했고 이 시기에 상나라의 수도를 침공하여 함락했다는 기록이 전해진다. 23대 단군 아홀은 76년을 재임했고 24대 단군 연나는 11년을 재임했다. 한편 25대 단군 솔나는 88년 재임했는데 중국에서는 기자라고 부르기도 했다. 이것이 후대에 기자조선으로 날조된 것으로 단군 솔나를 기자로 불린 것 이외에는 날조된 사실이다.

26대 단군 추로는 65년을 재임했고 27대 단군 두밀은 26년을 재임했다. 28대 단군 해모는 28년을 재임했고 29대 단군 마휴는 34년을 재임했다. 30대 단군 내휴는 35년을 재임했는데 상나라가 망하고 생긴 주나라와 수교를 했으며 31대 단군 등올은 25년을 재임했다.

32대 단군 추밀은 30년을 재임했고 33대 단군 감물은 24년을 재임했다. 34대 단군 오루문은 23년을 재임했고 35대 단군 사벌은 68년을 재임했다. 36대 단군은 58년을 재임했고 37대 단군 마물은 56년을 재임했다. 38대 단군 다물은 45년을 재임했고 39대 단군 두홀은 36년을 재임했다.

40대 단군 달음은 18년을 재임했고 41대 단군 음차는 20년을 재임했다. 42대 단군 을우지는 10년을 재임했고 43대 단군 물리는 36년을 재임했다. 44대 단군 구물은 29년을 재임했고 45대 단군 여루는 55년을 재임했다. 46대 단군 보을은 46년을 재임했고 47대 단군 고열가가 58년을 재위했다.

48대 단군 부가 20년을 재위했고 49대 단군 준이 16년을 재위했는데 당시 동생이던 위만은 중국과 교류를 하면서 적극적인 활동을 했다. 이에 준이 왕권을 보호하기 위해 국경 근처로 발령했으나 그 지역에서 세력을 모아 반란을 일으켜서 왕검성을 정복했다고 전해진다. 이후 위만이 단군에 즉위하고 준은 한반도 남부로 귀양을 가게 된다.

제50대 단군 위만은 35년 재임했고 준을 따르는 여러 세력의 반란과 내분에 상당히 어지러운 국정이 이어졌다. 이후 제51대 단군 고해사가 39년 재임했고 제52대 단군 우거가 20년 재임했는데 이 과정에서 위만의 반란 이후 나라의 혼란과 지방 호족의 융성으로 인해 나라가 내분이 일어났고 한나라의 침공으로 왕검성이 함락되어 고조선은 멸망했다.

그러나 한나라는 고조선 영토 전역을 흡수할 정치적 능력이 부재했기에 일부 영토를 빼앗은 수준이었고 중앙의 왕조가 사라지자 지방의 호족은 제각기 국가를 선포했다. 특히 가장 먼저 선포된 곳은 한나라의 영향이 덜했던 한반도 남부의 삼한으로 이는 단군 준 세력이 남부로 귀양가면서 단군이라는 명칭이 변형되면서 한으로 변했고 이러한 고조선의 국통의 적통 계승자라는 의미에서 각자 호족 세력들이 마치 유럽에서 로마를 칭하듯 차용하여 마한, 진한, 변한이 건국되었다. 이외에 부여, 동예, 옥저가 만주와 한반도 북부에서 건국되었고, 중국과 교류가 잦았던 낙랑도 한반도 북부에 정식으로 건국되었다.

이러한 시기는 열국시대이며 이후 고구려, 백제, 신라로 세력이 정리되는 삼국시대로 접어든다. 변한은 가야로 그 국호와 형태를 바꾸어서 지속되었지만 백제가 강성할 때는 사실상 백제의 제후국이 되고 신라가 강성할 때는 신라의 제후국이 되어 사국시대로는 보지 않는다. 이후 신라에 의한 삼국 통일과 고구려 유민이 발해는 건국하는 남북국시대가 이어지고 신라에서 후고구려와 후백제가 분리되는 발해·후삼국시대가 열린다.

이후 후고구려에서 반란을 일으킨 왕건에 의해 고려가 건국되고 후백제와 신라를 통일하고 발해 유민을 흡수하고 발해 계승을 표방하면서 고려시대가 개국된다. 이후에는 조선시대, 대한제국시대, 일제강점시대, 남북분단시대로 하여 지금의 남북의 분단인 현재 상황으로 역사는 이어진다.

한편 우리 역사 속에서 우리를 조공 국가로 폄하하는 식민사관에 찌든 자들이 있는데 원간섭기는 말 그대로 원의 영향을 더 받은 것이지 일반적으로 식민지는 아니고 한사군도 일부 과장이며 영토가 일부 빼앗긴 것이고 고조선 전역을 지배한 것이 아니므로 그것도 식민지는 아니다.

Ⅵ. 부산의 역사와 정치적 위상의 고찰

부산은 한국전쟁 당시 임시수도로 기능한 바가 있어 현재 대한민국에서 서울을 제외하고는 유일하게 수도의 기능을 사실상 한 도시이며 수도에 비슷한 영향력을 가진 도시이다.

과거 역사에서도 고대 시대에는 인근에 강력한 영향을 주는 소국이 많았으며 삼국 시대에도 백제가 강성하여 가야가 백제 영향권인 시기에는 신라를 견제하기 위해 가야를 통해 부산 지역에 총력을 집중했으며 신라가 강성하여 가야가 신라 영향권인 시기에는 백제를 견제하기 위해 가야를 통해 백제를 공격하고자 부산을 일종의 후방 기지로 활용하여 관심을 기울였다. 이는 가야가 경상도를 넘어 전라도, 충청도에도 세력을 미치고 그 문화를 받아들인 역사적 기록에서 올바르게 유추할 수 있다.

한편 고려와 조선시대에도 일본과의 교역 및 남방 최전선의 역할로써 부산의 위상은 상당했고 이 시기에 대도시로 성장하는 기반을 닦았다. 이는 현재에도 정치적으로 부산이 영향을 가지는 역사적 배경 중 하나이기도 하며 과거 총선에도 그 영향력을 반추해 볼 수 있다.

예시로 과거 평화민주당과 신민주공화당은 제13대 국회의원 선거 당시 부산 지역에서 지역 기반이 약해서 전 선거구에 후보를 내지는 못하였다. 그러나 부산 지역에 대한 관심이 상당했고 약하지만 지역 기반이 전무한 것은 아니므로 직접 후보를 내지 못한 지역구에서도 타 후보의 지지나 집단 투표 행위를 통해 그 존재감을 보이고자 하였다.

부산 서구의 경우 평화민주당은 후보를 내지 못해 무소속 김일택 후보를 사실상 지원했고 부산진구 갑의 경우 평화민주당은 한겨레민주당 심용래 후보를 사실상 지원하고 신민주공화당은 신한민주당 고병수 후보를 사실상 지원했다.

이어 부산진구 을의 경우 평화민주당은 민중의당 이창용 후보를 사실상 지원했고 동래구 갑의 경우 재야 후보가 존재하지 않아 무효표 기표 운동을 통한 평화민주당의 힘을 간접적으로 보여주었다. 또한 남구 갑의 경우 평화민주당은 무소속 이영근 후보를 사실상 지원했고 금정구의 경우 한겨레민주당 전한도 후보를 사실상 지원했다.

그러므로 위의 사례를 통해 가장 지역감정이 극심하고 지역 구도가 형성된 1988년에도 부산 지역에서 4개 정당이 사실상 후보를 낸 것과 같은 효과를 한 것을 보면 부산의 정치적 영향력을 짐작해 볼 수 있는 셈이다.

이외에 정치와 불가분의 관계인 지리를 통해 살펴본다면 부산 인접 도시인 창원특례시가 함안군을 사실상 한 몸과 같은 도시로 운영되는 것처럼 부산은 부·울·경을 넘어 포항시, 경주시, 청도군, 여수시, 순천시, 광양시, 구례군, 곡성군에도 강한 영향을 주는 것도 추가로 살펴볼 수 있다.

Ⅶ. 아시아지역학과 경영학의 일치성

국어사전에서 '지역'이라는 단어를 찾아보면 '전체 사회를 어떤 특징으로 나눈 일정한 공간 영역'이라는 의미를 알 수 있으며 '경영'이라는 단어를 찾아보면 '기초를 닦고 계획을 세워 어떤 일을 해 나감'이라는 의미인 것을 알 수 있다.

그러므로 이미 '지역'이라는 말에는 간접적으로 '경영'이라는 의미를 내포하고 있다고 할 수 있다. 이는 사회를 어떠한 특징으로 나누고자 한다면 그 사회라는 것은 이미 어떠한 경영적 활동의 일환이고 그것이 구분되는 행위 자체가 경영적 행위가 된다. 고로 '아시아지역학'은 사실상 '아시아경영학'이라고 불러도 무방한 것이며 '지역학'이라는 단어는 그 앞에 붙은 단어에 의해서 '경영학'과 같은 의미로 되게 되는 것이다.

특히 우리가 다루는 아시아지역학이 경영학의 도움으로 탄생하고 일각에서는 경영학의 한 하위 학문으로 보기도 한다는 것은 공공연한 사실이다. 이러한 점에서 아시아지역학과 경영학의 상호 연관성에 대해서 살펴볼 필요가 있으며 이를 과학적 방법에 따라 규명해 보면 학술적 발전에도 큰 도움이 될 것이다.

먼저 학교 현장에 대해서 살펴보면 대게 아시아지역학이 국내에서 별도의 학과로 직접 개설된 예는 없지만 연계전공으로 개설된 경우가 많으며 일반적으로 경영학부 산하의 전공으로 취급받는 경우가 많다.

또한 편입생의 경우 학점은행제나 독학학위제의 경우 경영학을 전공해서 아시아지역학으로 편입하면 사실상 동일한 전공으로 인식되어 그 학위는 없는 것으로 보는 경우도 많은 편이다.

이외에 과목을 살펴보면 대게 '회계학원론', '경영경제수학', '경영과컴퓨터', '경제학원론', '경영학원론', '경영통계학'을 기초 이수과목으로 정하며 이들 과목과 내용이 유사한 과목으로 '위대한지도자들과그들의선택', '문화예술과감각활용', '바이오헬스인문학', '4차산업혁명과서비스경영'이 있으며 이들 과목은 대개 경영학 과목과 내용이 동일하다. 또한 자유로 분류된 과목은 제2전공 과목과 교양 과목을 동시에 인정하는 과목으로 본다. 그리고 이들 과목은 명칭은 다르지만, 기본적으로 경영학을 다루고 올바르게 이해시키는 과목이다.

VIII. 아시아지역학의 대학 교육

아시아지역학을 대학에서 학과로 설치하거나 연계전공(특정 학부의 사실상의 하위 전공과 같다)으로 교육하는 경우 그 방식은 경영학과와 동일하게 하는 것이 학문적 일치성 차원에서 좋으며 실제 현장에서도 그렇게 운영되고 있음을 알 수 있다.

이외에 아시아지역학은 대학에서 경영학사로 수여하고 신학문이라는 명칭을 살려서 아시아지역학사로 수여해도 경영학사로 보는 관행으로 인해 대게 대학에서 아시아지역학 교육은 상경관에서 이루어진다.

또한 졸업 요건에서 대게 경영학과가 TESAT, 매경TEST 취득을 요구하기도 하므로 그러하면 같게 하는 것이 옳으며 필요하면 SMAT 취득도 추가해야 한다. 이외에도 아시아지역학 이수 학생을 경영학과 동문으로 취급하는 것이 상식적이라고 첨언할 수 있다.

한편 이러한 아시아지역학을 학술적으로 깊게 살펴보면 아시아라는 지역을 다루는 학문인데, 단순히 지리적 문제만이 아니라 아시아라는 고유한 세계를 다각도에서 연구하는 학문이다.

따라서 아시아지역학은 특정 국가나 집단을 다루는 것이 아니라, 국제적이고 폭넓은 관점을 요구한다. 아시아지역학이 경영학에서 태동했기 때문에 경영학의 보편적 이론을 바탕으로 아시아의 특수한 상황에 접목하는 것이 중요하지만, 편협하거나 자문화중심적으로 바라보지 않도록 주의해야 한다.

아시아지역학 입문의 기초가 되는 학문은 국제지역학이다. 국제지역학은 정치학이나 지리학에서도 하위 학문으로 존재하지만, 아시아지역학에서의 국제지역학은 경영학개론을 비롯한 경영과학적 기본 이론을 바탕으로 국제적 관점에서 지역을 바라보는 독특한 안목을 기르는 것이므로 학문적 차이점이 있다.

아시아는 세계에서 가장 많은 국가가 존재하는 대륙이기 때문에, 각 국가의 역사·문화·정치체제·경제체제 등의 영향으로 서로 다른 특징을 가지고 있다. 따라서 각 나라의 특징을 잘 알기 위해서는 국가별 정부형태와 역할을 분석하는 것이 중요하다. 이를 통해 각국의 특징에 대한 이해가 가능할 것으로 판단되므로, 국제지역학을 더욱 세밀하게 학습할 필요성이 있다.

또한 아시아지역학은 경영학적 토대를 기반으로 하므로, 경영의사결정에 필요한 계량적 분석 방법을 이해하고 이를 응용하는 것이 중요하다. 특히 현대적 계량시스템의 체계를 이해하고 이를 기초로 한 응용에 대해서 알아보고, 수리계획과 확률모형도 적극적으로 기법으로 활용해야 한다.

특히 아시아지역학에서 경영과학과 국제지역학은 크게 중요하므로 이러한 것은 대학 교육에서 아시아지역학을 가르칠 때 유의하여 살펴볼 필요가 있다는 것을 부수적으로 첨언 가능하다.

IX. 국제지역학을 통해 보는 경영과학

국제지역학과 경영학은 밀접한 관계에 있음은 보편적인 학계의 상식이다. 그러나 본 글의 제목을 '국제지역학을 통해 보는 경영과학'으로 정한 것은 과거의 단순한 경영학적 이해로는 국제지역학을 완벽히 이해할 수 없기 때문이다.

경영학은 급변하는 시대에 유연성을 가지고 살아남아서 생존에 지속해서 기여할 수 있는 전천후의 경영자를 양성하는 것을 목적으로 한다. 아시아지역학도 이러한 경영학의 토대와 목적을 수용한 학문이므로 경영자적 관점에서 아시아지역학을 바라보도록 요구한다.

그러나 과학의 발전과 수리학의 발전으로 인해 경영학에도 다양한 계량적 방법이 도입되었다. 과거의 경영자적 직관에 따른 판단이 아니라 과학적이고 계량적인 방법에 따른 정밀한 판단이 요구되는 것이다. 이러한 것은 아시아지역학에도 동시에 적용된다.

따라서 경영과학이라는 것은 단순한 경영자의 이미지를 벗기고 과학적인 계량 분석에 따른 판단의 중요성을 강조하기 위한 표현이다. 또한 국제지역학에서 이러한 것이 중요한 이유는 아시아라는 세계가 가장 복잡하고 난해하기 때문이다. 일순간의 직관으로는 결코 볼 수 없는 세계이다.

그러므로 국제지역학을 바라볼 때는 위에서 언급한 점을 명심해야 한다.

또한 국제지역학에서 아시아를 바라볼 때는 조직의 운용·조직·지휘 등을 체계적으로 연구하는 성실함 위에서 현대적 경영자의 관점으로 보아야 한다.

X. 국제지역학의 경영학적 토대와 결론

국제지역학은 기본적으로 경영과학 혹은 경영학개론을 아시아지역학에 맞게 학술적 원론을 살리면서도 특성을 중요하게 변형한 것이다. 일반적으로 배우는 경영과학 혹은 경영학개론 위에 아시아의 특수성도 함께 추가하여 상호 복합적이고 창조적으로 다루는 형태이다.

그리고 대학에서의 아시아지역학과 경영학의 관계도 살펴보면 아시아지역학은 경영학을 그 모태로 하여 경영학자가 주도해서 만들었고 일각에서는 경영학의 하위 학문으로 보아 사실상 경영학과 같은 것으로 볼 정도이다.

그러므로 아시아지역학 관련 학과가 설치되지 않은 대학에서 연계전공으로 그 학위를 받은 자는 사실상 그 대학의 경영학과를 졸업한 것과 같게 보아야 하며 그렇게 하고 있다. 이는 경영학과에서 아시아지역학 관련 과정을 운영하는 점도 있지만 기본적으로 학문적 근거에 기인하기 때문이다.

또한 아시아지역학을 대학에서 이수한 자의 학점을 분석해 보면 대게 전공필수보다 전공선택이 성적표에 찍힌 경우가 많다. 이는 아시아지역학 자체가 이제 만들어지고 있는 학문이므로 특정 과목을 전공필수로 완벽히 지정하기 어려운 부분에서 기인하기도 한다. 그러므로 전공필수로 이수해야 할 과목은 대게 상황에 따라 전공 혹은 교양과목으로 인정할 수 있는 자유과목을 전공필수로 해석한다. 특히 제2전공으로 아시아지역학을 이수한 자의 경우 그 학점 계산 시 성적표에서 제2전공으로 찍힌 과목과 자유전공으로 찍힌 과목을 모두 합산해야 올바르게 계산한 것이다.

이외에도 편입 관련된 문제를 살펴보자면 한국에서 다른 대학으로 편입하는 경우 그 학점은 학칙에 따라 인정해도 특정 과목을 구체적으로 인정하지는 않는다. 다만 유사한 과목에 대해서 수강하지 않아도 되도록 하는 형태로 전적 학점을 인정한다.

특히 원격 교육을 통한 경영학 학사 학위를 취득하고 아시아지역학 학사과정으로 하여 일반 대학에 편입하고자 하는 경우 국제적으로 일반 대학에서 학위를 취득하면 원격 교육을 통한 학위가 전자와 유사한 경우 인정하지 않는 불문율을 주의 깊게 볼 필요가 있다.

또한 대게 아시아지역학의 경우 경영학을 학습하던 학생이 편입하는 경우가 많다. 이는 위에서 설명한 것처럼 아시아지역학이 사실상 경영학과 동일하게 보는 학계의 관행과 학술적 기반 그리고 학과가 개설되지 않았을 때 사실상 그 대학 경영학과 동문으로 인정하는 관례에서 찾을 수 있다.

한편 아시아지역학은 그 학문에 있어 하위 과목으로 기획론, 소프트웨어와 컴퓨터적 사고, 국가와 법, 정치란 무엇인가 등이 있으며 이러한 과목들은 국제지역학과 긴밀한 연관성을 가지는 것으로 볼 수 있다. 한편 그러한 하위 과목에 대해서 아래에 자세히 기술하고자 한다.

기획론은 영어로 'Public Planning'이라고 하며 미래의 목표를 설정하고, 이를 달성하기 위한 과정을 계획하고 실행하는 과정을 연구하는 학문이다. 그러므로 기획은 기업, 조직, 개인 등 다양한 주체가 미래의 목표를 달성하기 위해 수행하는 활동 전반을 의미한다.

이러한 기획을 연구하는 기획론은 20세기 초에 미국에서 탄생했다. 초기의 기획론은 주로 기업의 경영 전략과 관련된 연구를 중심으로 이루어졌다. 이후 기획론은 조직, 사회, 개인 등 다양한 분야로 확대되었다. 또한 그 발전상은 오늘날에도 지속해서 이어지고 있다. 새로운 경영 환경과 기술의 변화에 따라 기획의 방법과 내용이 변화하고 있다.

한편 기획론은 미래에도 더욱 발전할 것으로 전망된다. 기후 변화, 기술 발전, 사회 변화 등 다양한 도전에 직면한 현대 사회에서 기획은 미래의 목표를 달성하기 위한 활동이다.

앞으로 기획은 융합적으로 발전할 것이다. 기획은 그 특성상 기업, 조직, 사회, 개인 등 여러 분야에서 이루어진다. 따라서 융합적 기획론을 통해 다양한 분야의 기획을 연계하고, 통합적인 관점에서 기획을 수행하는 것이 중요해질 것이다.

또한 인류에게 기후 변화, 환경 오염 등 지속 가능성에 관한 관심이 증가하고 있다. 따라서 지속 가능한 기획론을 통해 환경과 사회에 미치는 영향을 고려한 기획을 수행하는 것이 중요해질 것으로 전망된다.

기술적으로는 인공지능의 발전으로 기획의 효율성과 정확성이 향상될 것이다. 따라서 인공지능을 활용한 기획론을 통해 기획의 자동화와 최적화를 하는 것이 중요해질 것이다.

이와 같은 전망 속에서 기획론을 학습하여 현재 상황을 분석하고, 미래의 가능성을 발견하며, 이를 현실로 만들어 낼 새로운 가능성을 얻을 수 있을 것이다.

소프트웨어와 컴퓨터적 사고는 영어로 'Software and Computational Thinking'이라고 한다. 과학 기술이 발전하고 이를 통해서 컴퓨터가 발전하면서 학문 영역에서도 이를 하나의 수단으로 활용하고자 한다.

그러한 와중에 가장 먼저 전면적으로 컴퓨터를 받아들인 것은 경영학이다. 이러한 점에서 현대 경영학을 이해하려면 컴퓨터를 이해해야 하고 그러기 위해서는 먼저 컴퓨터가 문제를 해결하는 컴퓨터적 사고를 인간도 알아야 한다.

특히 이러한 것 중에서도 컴퓨터적 사고는 복잡한 문제에 대해서 컴퓨터를 활용하여 효과적으로 해결할 수 있는 사고방식이며 컴퓨터적 사고의 기본 개념인 문제 분해, 추상화, 알고리즘, 데이터 구조 등을 학습해야 한다. 또한, 컴퓨터적 사고를 활용하여 실제 문제를 해결하는 방법을 습득할 필요성도 제시된다.

또한 위에서 언급한 컴퓨터적 사고를 쉽게 이해하고 그 근간이 되는 언어인 프로그래밍 언어를 쉽게 학습하려면 MIT 미디어 랩에서 개발한 프로그램인 '스크래치(Scratch)'를 통해 기초를 다지는 것도 좋은 방안이다. 이 프로그램은 사건 기반 프로그램이면서 직관적이기에 초보자에게도 용이하게 사용할 수 있는 장점이 있다.

그러므로 소프트웨어와 컴퓨터적 사고는 컴퓨터와 소프트웨어에 대한 기본 개념을 이해하고, 컴퓨터적 사고를 습득하여 문제 해결 능력을 배양해야 하는 것이 요구된다. 또한, 소프트웨어 개발의 기본 원리와 프로그래밍 언어의 기초를 익혀서 응용 소프트웨어를 개발할 수 있는 능력도 부수적으로 기른다면 더욱 현대 경영학의 이해와 학습에 밑거름이 되니 국제지역학과도 수단적 연관성이 크다고 할 수 있다.

국가와 법은 영어로 'Country life & Law'라고 한다. 경영학에서 국가와 법은 중요한 개념이다. 국가는 기업의 활동을 규제하고, 보호하는 역할을 하며, 법은 기업의 경영 활동을 안정적으로 유지하는 데 기여한다.

한편 국가가 기업의 활동을 규제하고, 보호하는 역할을 하는 것은 기업의 활동은 사회적으로 큰 영향을 미칠 수 있으므로, 국가는 기업의 활동을 규제하여 공공의 이익을 보호하고, 사회적 갈등을 예방한다. 또한, 국가는 기업의 활동을 보호하여 기업이 안정적으로 성장할 수 있도록 지원한다.

국가의 규제는 기업의 활동에 영향을 미치기 때문에, 경영학에서는 국가의 규제에 대한 이해가 중요하다. 기업은 국가의 규제를 준수하면서, 기업의 이익을 극대화할 방안을 모색해야 한다.

법은 기업의 경영 활동을 안정적으로 유지하는 데 이바지한다. 법은 기업의 거래 관계를 규정하고, 기업의 권리와 의무를 명확히 함으로써, 기업의 경영 활동을 안전하게 예측할 수 있도록 만든다. 또한, 법은 기업의 경쟁을 공정하게 유지하여, 기업의 발전을 촉진한다. 그러므로 기업은 법을 준수하면서, 기업의 경영 활동을 효율적으로 수행해야 한다.

국가와 법은 경영학에서 중요한 개념이다. 경영학에서는 국가의 규제와 법의 역할을 이해하고, 사회적 책임 경영, 지역 사회와의 협력, ESG 경영 등을 두루 살피면서 이를 기업의 경영 활동에 활용하는 것이 몹시 중요하다고 할 수 있으므로 국제지역학에서도 국가와 법을 깊이 살펴봐야 한다.

정치란 무엇인가는 영어로 'Readings in Political Science'라고 한다. 경영학에서 바라보는 정치는 한 사회의 공동체가 공동의 목표를 달성하기 위해 의사 결정을 하고, 이를 실행하는 과정이다. 정치는 사회의 모든 구성원이 참여하는 과정이지만, 특히 권력을 가진 자들이 강한 영향력을 통해 주도하는 과정이다.

정치는 다양한 요소에 의해 영향을 받는다. 정치는 사회의 경제 상황, 문화, 역사, 종교 등 다양한 요소에 의해 영향을 받는다. 또한, 정치는 정치인들의 성향, 이념, 정책 등에 의해서도 영향을 받는다.

정치는 사회의 발전에 중요한 역할을 한다. 정치는 사회의 갈등을 해결하고, 사회의 안정을 유지하는 데 이바지한다. 또한, 정치는 사회의 발전을 위한 정책을 수립하고, 이를 실행함으로써 사회 발전을 촉진한다.

기업과 정치가 불가분의 관계인 것처럼 정치와 경영은 서로 밀접한 관계가 있다. 정치는 기업의 활동을 규제하고, 보호하는 역할을 한다. 또한, 정치는 기업의 경영 환경을 조성하는 데 영향을 미친다.

기업은 정치적 환경을 고려하여 경영 활동을 수행해야 할 필요성이 있으며 정치의 변화를 파악해야 성공적인 경영이 가능하다. 그러므로 경영학적으로 정치를 바라보면서도 정치 그 자체에 대해서 '불가근불가원'의 태도를 유지하면서 혁신적인 경영적 관점에 따라 기성적 태도에 속박되지 않으면서 정치에 관심을 기울일 필요가 있고 이러한 점을 국제지역학에서도 창조적으로 응용하여 제대로 살펴보아야 한다.

이러한 과목을 살펴보면서 결론적으로 국제지역학과 아시아지역학의 상호관계와 경영학에서의 토대를 살펴보고 국제지역학이 경영학개론 혹은 경영과학 그 자체인 것을 알 수 있다.

또한 국제지역학에 있어 경영학적 토대는 아시아지역학의 다른 하위의 것에 비해서 상당히 깊고 많은 학술적 영향 위에 있다고 할 수 있다는 것도 알 수 있다.

그러한 발견 속에서 다양한 하위 과목의 연관성을 살펴보면서 국제지역학은 상당히 학술적으로 풍부하면서도 경영학적 관점을 충실히 이행하면서 아시아를 상당히 독창적으로 바라보는 것에 훌륭한 학술적 수단으로 사용할 수 있다는 점도 고루 살펴볼 수 있는 것이다.

06
용인과 함께한 연구 VI

I. 아시아지역학과 경제학의 관계성

아시아지역학은 아시아라는 독립적 실체에 대해서 경영학적 방법을 사용하여 규명한다. 이러한 경영학적 방법의 속에는 반드시 경제학 원리가 내포되어 있다. 특히 경제학은 희소한 자원제약하에 무한한 인간의 욕망을 충족시키는 것, 즉 경제문제를 해결하고자 하는 근원적이면서도 실용적인 학문이다. 고로 아시아지역학에서 경제학은 사실상 경영학과 같다.

이와 같은 경제학에서 현대경제의 활기찬 모습을 경제학의 기본 원리를 통해 이해하고, 나아가 경제생활을 통해 직면하는 각종 현실의 경제문제들을 해결해 나갈 힘을 배양하고 자본주의 경제운용의 핵심인 수요와 공급의 원리를 이해하고, 이에 기초하여 개별소비자의 효용 극대화의 원리와 기업의 이윤 극대화 원리를 이해하는 가운데 생산활동과 관련하여 생산함수와 비용함수의 특징을 자세히 정리한 뒤, 경쟁시장, 독점시장, 독점적 경쟁시장, 과점시장에서의 이윤 극대화 생산량과 가격설정의 원리를 살펴보면서 생산

요소 가격의 결정 원리와 후생을 극대화할 수 있는 시장 형태에 대해서도 이해를 증진해야 할 필요성이 있다.

이처럼 경제학을 통해서 기본적인 경제이론을 폭넓게 학습함으로써 적정 경제행위에 대한 분석은 물론 바람직한 시장 형태에 대한 이해를 증진함으로써 경영적 마인드를 갖추어 경영학에 대한 바른 이해가 충족된다.

다만 이러한 경제학적 접근만 갖춘다면 아시아지역학에서 경제학을 제대로 활용할 수 없으므로 아시아지역학적 경제학을 학술적으로 수립할 필요가 있다. 따라서 아시아지역학에서의 경제학은 회계학이 상당한 비율을 차지한다. 이는 아시아지역학이 경영학을 통해서 관통하는 가운데 금전으로 바라보는 부분이 상당하므로 이를 회계를 통해 효율화하여 일목요연하게 바라보아야 하기 때문이다.

그러므로 위에서 살펴본 것처럼 회계 원리에 대한 깊은 고찰과 이해가 수반되며 관련 경제학적 이론의 연관성을 살펴보면서 아시아지역학 특유성에 맞는 경제학으로 변형하여 경제학을 아시아지역학적 경제학으로 좀 더 진화시켜서 바라보아야 하는 것이다.

II. 아시아지역학적 경제학과 그 하위 과목

아시아지역학적 경제학은 기본적으로 경제학을 아시아지역학에 맞게 변형한 것이다. 일반적으로 배우는 경제학개론 위에 아시아의 특수성도 함께 추가하여 상호 복합적으로 다루는 형태이다.

그 학문에 있어 하위 과목으로 시장조사론, 북한학, 자기경영학습법Ⅰ, 진로탐색 등이 있으며 아시아지역학적 경제학 특성상 회계원리가 상당한 비중을 차지하므로 회계원리의 비율이 큰 학문적 하위 과목으로는 원가관리회계Ⅰ, 중급재무회계Ⅰ 등이 있다. 이러한 과목들은 아시아지역학적 경제학과 긴밀한 연관성을 가지는 것으로 볼 수 있다. 한편 그러한 하위 과목에 대해서 아래에 자세히 기술하고자 한다.

시장조사론은 영어로 'Market Research'라고 한다. 시장조사와 그 관련 이론은 시장의 구조와 수급을 파악하기 위한 시장조사, 수요예측 등 자료수집 및 분석에 관련된 기법의 사용과 응용을 주로 탐색한다. 이는 경영학적 마케팅에 있어서 그 의사 결정에 필요한 자료를 수집·분석하는 절차와 방법을 이해하여 이를 응용할 수 있는 것에 이바지하고자 그러하다.

시장조사에 있어서 구체적으로는 조사 및 분석의 범위와 적용, 과학적 조사 방법, 경영에 필요한 마케팅 도구의 실질적 적용, 판매 분석, 시장동향 및 소비자 조사, 광고조사 및 효과 측정, 판매할당, 그리고 조사보고서의 작성과 정책 수립에서의 이용 등을 연구한다.

아울러 사례를 통해 실제로 조사기법을 적용하면서 시장조사의 주요 개념, 기능 및 관리기법의 이해를 득하고 부수적으로 인터넷 마케팅 조사 능력을 배양할 수 있으므로 시장조사론은 아시아지역학에서의 조사 방식으로 많이 사용하기도 하며 특히 아시아지역학적 경제학에서는 회계적 수단에 기초로 사용한다.

북한학은 영어로 'North-Korea studies'라고 한다. 근래 아시아에서 가장 주목받는 지역이 한반도이고 가장 아시아적 특수성이 깊은 지역이 한반도이다. 이러한 한반도에서 한국 사회가 저출산 고령화의 영향을 받아 경제 성장률과 잠재 성장률이 하락하는 상황에 놓였다. 그 상황 속에서 한국 사회는 새로운 성장 동력을 필연적으로 요구한다.

이 가운데 통일대박론이 제시되면서 저성장의 늪에 빠진 한국 경제가 새로운 성장동력을 찾기 위해 통일을 주장하고 있으며 그 결과 아시아지역학에서도 북한에 대한 이해가 필요하다. 그러므로 북한은 단순한 아시아의 한 지역 혹은 국가로 그것이 이해되는 것이 아니라 아시아와 한국 경제의 히든카드로써 새로운 경제적 변수로 관찰하고 분석해야 한다.

북한의 경제는 현대 아시아에서 가장 사회주의 계획 경제 체제가 강한 국가로서 자본주의 경제학이 주류인 한국 사회에서 별도의 경제학적 지식이 없이는 오도하여 접근될 수밖에 없다. 그러므로 북한이라는 대상을 철저히 경제학적으로 봐야 하고 통일과 사회주의라는 두 키워드를 중심으로 해서 경제학적 접근이 학술적으로 필히 요구된다는 것을 알 수 있으며 북한의 회계에 대해서도 관련 자료의 확보 필요성도 요구됨을 알 수 있다.

자기경영학습법Ⅰ은 영어로 'Self-management Learning method Ⅰ'이라고 한다. 경제학은 그 학문 특성상 스스로 하는 학습이 몹시 중요하며 특히 아시아지역학적 입장에서 경제학 공부는 대부분 독학으로 이루어진다. 그러므로 자기경영학습법에 대한 이해가 있어야지만 경제학 학습을 더욱 쉽게 할 수 있다.

자기경영학습법은 자기관리와 학습법을 결합한 개념으로 자신의 꿈과 목표를 달성하기 위해 스스로의 삶을 관리하고 자발성을 강화하여 학습하는 방법을 말한다.

자기경영학습법을 익히면 목표를 달성할 수 있는 가능성을 높일 수 있다. 자기경영학습법을 통해 자신의 꿈과 목표를 명확히 하고, 이를 달성하기 위한 구체적인 계획을 세울 수 있다. 또한, 계획을 실천하기 위한 동기부여를 강화하고 실천 과정에서 발생하는 어려움을 극복할 수 있는 구체적인 능력을 키울 수 있으며 학습 효율성도 높일 수 있다. 자기경영학습법을 통해 자신의 학습 스타일을 파악하고, 이에 맞는 학습 전략을 세울 수 있다. 또한, 학습 시간과 공부 방법을 효율적으로 관리할 수도 있다.

이처럼 자기경영학습법은 누구나 쉽게 실천할 수 있는 방법이다. 이를 잘 익히고 실천함으로써 자신의 학문적 성취와 꿈과 목표를 달성하고 더 나은 삶을 살아가기 위한 기반도 마련할 수 있을 것이다. 또한 아시아지역학적 경제학 학습의 하나의 수단이자 회계에 대한 이해를 높이는 것에도 유용히 사용되는 방법이다.

진로탐색은 영어로 'Career Exploration'이라고 한다. 자기 적성과 흥미, 가치관 등을 바탕으로 자신의 미래를 설계하는 과정을 진로탐색이라고 한다. 이러한 진로탐색은 아시아지역학적 경제학에서 특정 진로에서의 경제학 활용을 요구하므로 미리 탐색하여 방향을 설정해야지만 효율적인 학습이 가능하다는 점에서 그 사용이 요구된다.

한편 일반론적인 의미에서 진로탐색은 자기 적성과 흥미를 발견하는 데 도움이 되고 자신의 강점과 약점, 관심 분야 등을 파악할 수 있으며 이를 바탕으로 자신에게 적합한 진로를 선택할 수 있다. 또한 진로탐색은 자신의 미래를 설계하는 데 도움이 되며 자신의 목표와 비전을 세울 수 있고 그 분석 결과를 바탕으로 자신의 미래를 위한 계획을 세울 수 있다.

이외에도 진로탐색은 자기 삶의 만족도를 높이는 데 도움이 된다. 자신이 원하는 진로를 선택하고 이를 통해 성공을 거두면 삶에 대한 혁신적인 만족도가 높아진다.

이러한 진로탐색은 청소년기부터 시작하여 평생에 걸쳐 이루어져야 하는 과정이다. 진로탐색을 통해 자기 적성과 흥미를 발견하고, 자신의 미래를 설계함으로써 자신의 삶을 더욱 주체적으로 살아갈 수 있으며 아시아지역학적 경제학 학습과 회계원리의 이해에도 도움이 된다고 할 수 있다.

원가관리회계 I 은 영어로 'Cost Managerial Accounting I'이라고 한다. 일반적으로 모든 경영에서는 끊임없는 의사 결정의 연속이므로 내부관리자는 다양한 형태의 정보가 있어야 한다. 또한, 정보를 이용하는 이용자의 유형도 다양하므로 이에 필요한 정보를 창출하고 기업의 경영 관리에 필요한 관리기법을 습득하여 경영 활동에 적극적으로 활용할 수 있어야 한다.

그러므로 원가의 기초 지식을 토대로 원가행태 즉, 고정비와 변동비 구분을 이해하고 이를 바탕으로 기본 원리를 체계적으로 습득하여 알아야 한다. 아울러 여러 유형의 사례를 반복하여 살펴서 관리회계의 기업에서의 중요성, 관리회계 활용기법의 터득, 문제점의 대응 방법과 실제 기업에서의 사용 방법 실례를 올바르게 이해해야 한다.

이는 아시아지역학에서 회계에 이러한 것들이 몹시 중요하게 작용하므로 이를 깊이 있게 살펴야지만 아시아지역학에 대해 수준 높은 이해가 가능하기 때문이다.

중급재무회계Ⅰ은 영어로 'Intermediate Financial Accounting Ⅰ'이라고 한다. 일반적으로 모든 경제 공동체는 결산 시 계정과목별 금액을 산정하여 재무제표를 작성하므로 회계를 알고자 하면 이를 반드시 할 수 있어야 한다. 또한 아시아 상황의 맞는 특수한 성격의 회계 문제를 파악하고 이를 해결하기 위한 실제 적용 기법과 관련 이론에 대해서고 심도 있게 파악해야 하며 아시아의 회계 기준과 국제 회계 기준을 비교 분석하면서 아시아의 특유한 회계와 관련 문화에 대한 이해도 필요로 한다.

이를 통해서 아시아 경영 실무에서 회계 관련 문제에 대해 합리적 대안을 제시할 수 있고 회계정보에 대한 이해를 제고하여 회계정보를 이용한 합리적인 의사 결정도 숙고할 수 있다. 또한 아시아지역학적 경제학에서의 중요한 부분의 이해와 연구에도 도움이 된다.

결론적으로 이러한 과목들을 살펴보면서 아시아지역학적 경제학에서의 경영학적 토대를 살펴보고 많은 학술적 영향 위에 있다고 할 수 있다는 것도 심도 있게 알 수 있다. 또한 아시아지역학적 경제학이 찾은 그러한 발견 속에서 다양한 하위 과목의 연관성을 살펴보면서 학술적으로 풍부하면서도 경영학적 관점을 충실히 이행하면서 아시아를 상당히 독창적으로 바라보고 있다는 점도 고루 살펴볼 수 있다.

한편 아시아지역학이 발전하면서 그 학술적 탐구에 도움을 주는 국제지역학과 제반 학문도 함께 성장하고 있다. 이는 아시아의 학자 모두가 경영자적 태도를 통해 적극적이면서도 혁신적으로 그 연구과 발전에 힘쓰고 있어 가능한 것이며 그중에서도 사실상 경영학인 경제학이 중추가 되고 있다.

근래에 서로 다른 무엇과 무엇이 만나 새로운 가치를 창출한다는 의미인 알파라이징(alpharising)이라는 단어가 주목받는 것도 새로운 혁신을 통해 기본의 틀을 깨고 인류가 나아가야 할 필요성이 제기되기 때문이며 동학이 주목받고 콘스탄티노플의 독특했던 문화적 부문이 다시 주목받는 것도 이러한 혁신과 변화에 세계가 능동적으로 관심 가지고 기존의 비주류에서 새로운 발견을 반드시 해야 한다는 절박감에서 기인한다.

우리도 이러한 변화와 4차 산업 혁명을 창조적으로 맞이하려면 과거의 전통문화를 시대에 맞게 되살리고 역사를 천착하면서 세계적으로 전통문화와 역사에 대한 인지도를 높여야 한다. 이 과정에서 외국 자본에 굴복하지 말고 바른 애국심을 고양하면서 자문화 천시도 지양해야 할 것이다.

이러한 쇄신은 우리가 한 단계 도약하는 것에 좋은 밑거름이 될 것이다.

아시아를 경영하는 경영자적 관점에서 아시아지역학을 바라본다면 새로운 시대를 경영할 수 있는 좋은 길을 보여줄 수 있을 것이며 그 길에는 반드시 경제에 대한 다각도의 이해가 필요하고 대학 교육에서 해야 한다는 것을 알 수 있는 것이다.

III. 국제행정론과 아시아지역학의 연관

아시아지역학에서 국제적 관점을 지향하면서도 경영학을 접목하면 개별 국가의 활동이 국제적으로 미치는 것의 중요성과 그 학문적 존재감이 상당하다고 할 수 있다. 이를 일목요연하게 보기 위해서 국제행정론이 필연적으로 차용되었다.

국제행정론은 세계화 추세 속에서 다양한 국제 행정 현상의 이해를 목적으로 하며 경제의 세계화, 국제 세력 균형의 변화와 이에 대응한 IGO, NGO들의 활동을 탐구하고 관련한 시사 현안을 분석하고 조사해야 한다. 또한 이러한 과정에서 세계화 과정에서 벌어지는 다양한 국제현상에 대한 비판적 시각을 통해 바라보고 그 근원을 살펴보아야 한다.

국제 행정에서 가장 중요한 것은 인적자원을 효율적으로 관리하는 것이다. 이러한 인적자원은 특히 21세기 아시아에서는 상당히 중요하게 여겨진다. 특히 아시아를 비롯한 글로벌 시장에서 지속적인 경쟁우위를 확보하기 위해서는 가치 창출의 원천인 유능한 인재의 확보와 유지가 중요하다.

그러므로 아시아의 다양한 조직의 전략적 목표를 인식하고 급변하는 경영환경에 유연하게 대처할 수 있는 인적자원의 채용과 활용, 보상 및 능력개발에 관한 다양한 이론들과 실무지식과 인적자원관리에 관한 최신의 국내외 기업사례 분석과 산업현장의 트렌드를 파악할 수 있어야 하며 이러한 부분이 국제행정론의 핵심이다.

한편 기본적으로 국제행정론은 아시아지역학에 맞게 그것을 변형한 것이다. 일반적으로 배우는 인적자원관리를 중시하는 경영학적 국제행정론 위에 아시아의 특수성도 함께 추가하여 다루는 형태이다. 그 학문에 있어 하위 과목으로 인간관계론, 리더십, 인간학, 인사행정론 등이 있다. 이러한 과목들은 국제행정론과 긴밀한 연관성을 가지는 것으로 볼 수 있다.

또한 국제행정론을 익히면서 인적자원의 심화된 관리에 있어서는 경영학원론, 조직행동론, 조직구조론, 리더십론, 노사관계론, 경영윤리, 경영전략과 같은 이론을 두루 살펴보면 더욱 도움이 되므로 익힐 필요가 있다. 한편 그러한 하위 과목에 대해서 관련 사항과 인적자원관리를 비롯한 이론적인 구체적 배경에 대해 아래에 자세히 기술하고자 한다.

인간관계론은 영어로 'Human Relations'라고 한다. 아시아를 비롯한 모든 사회에서 타인과 함께 살아가기 위한 인간관계의 필요성과 중요성은 사회적 존재인 인간에게 몹시 중요하다. 이는 아시아지역학을 연구하는 것에도 거의 그러하다고 할 수 있는 셈이다.

아시아라는 사회 공동체의 가장 미시적인 사회적 관계를 이해하고자 한다면 그 이론과 기술을 습득하여 아시아의 성숙한 인간관계들을 먼저 이해해야 할 필요성이 있다. 나아가 인간관계의 개념과 본질을 이해하고, 인간관계를 증진시키는 데 필요한 이론 및 관련 기술을 습득하며 의사소통과 심리분석 이론을 바탕으로 한 개인 및 집단의 인간관계기술을 이해하는 것으로 확장할 필요성이 있다.

또한 아시아 특유의 의사소통 방식과 기법을 습득하고 아시아인과 인간관계를 맺을 때 갖춰야 할 자세 및 태도를 이해할 수 있으며 관련한 인지, 정서, 행동발달 관련 제 이론을 습득해 건전하고 효과적으로 인간관계를 형성한 아시아의 여러 사회 구성체를 살펴보는 것으로 나아갈 수도 있다.

리더십은 영어로 'Leadership'이라고 한다. 인간은 강력한 존재가 끌어주기를 바란다는 말처럼 리더십은 모든 공동체의 구성에 필연적이다. 이러한 법칙에서 아시아도 예외가 아니다. 아시아의 리더십을 이해한다면 지배층의 형성과 담론에 대해서도 이해할 수 있다.

한편 리더십은 조직 목표 달성을 위해 모든 조직의 리더가 갖춰야 할 요소이므로 그 실체 및 본질을 이해하고 지식정보화사회에 부합하는 혁신적 리더십 개발을 위한 방법론을 연구하는 데 그 목적이 두어야 한다. 따라서 리더십의 실체 및 본질을 이해하고 리더십 개발 방법론 연구를 통해 리더십 역량을 함양하고 변혁적 리더십과 팀 리더십에 대해 배운다. 또한 리더십 개발과 관련한 리더십 기술 개발의 중요성, 리더에게 요구되는 리더십 기술, 리더십 변화 과정도 살펴야 한다.

아울러 이론과 더불어 국내외 사례분석 및 토의를 통한 리더십에 대한 전문적 지식 및 기법을 체득하여 아시아의 시대가 요구하는 잠재력을 개발, 진정한 리더로 성장할 수 있는 능력과 그 요소도 살펴서 아시아 특유의 리더십을 이해해야 한다. 이를 통해서 리더십이 인적자원관리에 미친 영향력도 동시에 파악해야 한다.

인간학은 영어로 'Study on Human'이라고 한다. 우리 모두가 인간인 것처럼 아시아라는 것도 근본적으로는 인간이 만든 개념이다. 고로 아시아인을 이해하는 것이 아시아지역학의 근원이기에 '인간이란 무엇인가'라는 질문에 총체적이고 다각적 해답을 제시하는 인간학에 대해 깊은 고찰이 필요하다. 이는 인간의 화학적, 생물학적 조건을 비롯한 인간의 내면적 정신세계와 행동양식 및 인간의 공동체를 연구하는 인간학을 학습하여 인간에 대한 탐구의 출발점으로 인간의 기원에 대한 다양한 관점을 편견 없이 두루 바라보아야 한다.

이외에 인체의 신비와 더불어 인간의 의식의 발달, 내면 의식을 통해 근대 이후 인간 자신에 대한 자각을 통해 생명의 존엄성, 자유와 성숙의 문제에 고민한 흔적을 아시아의 사례를 가지고 바라보아야 한다. 그리고 개인과 공동체의 관계를 보면서 더 나아가 인간과 자연의 문제를 고찰하고 올바른 이해를 바탕으로 인적자원이 중요성을 명심하고 인간 존엄성을 인식하며 창조적인 시각에서 아시아인을 바라볼 필요가 요구된다.

인사행정론은 영어로 'Personnel Administration'이라고 한다. 20세기 이후 아시아 국가들이 서구로부터 독립하면서 개별적인 정부가 수립되고 각자 특유한 행정을 하면서 그 차이가 심화하고 있다. 특히 인사가 만사라는 말처럼 인사행정은 그 중요성이 가장 상위에 있으며 그것을 알아야지만 아시아 국가들의 행정과 인적자원관리 전반을 알 수 있어 아시아지역학의 이해에도 도움이 된다.

아시아 정부들의 인적 자원 확보 및 개발, 관리, 통제 등 효율적인 인적자원관리를 통해 정부 조직의 정책 결정 및 집행 능력을 향상하고 양질의 행정서비스를 제공할 수 있도록 하는 방안을 모색할 필요도 있다. 또한 이를 위해 인사행정론의 이론체계와 발전 과정을 학습하고 인사행정의 전개 과정을 통하여 인사행정의 원리, 인사기관, 공직의 분류, 직무분석과 평가, 모집, 채용, 교육 훈련, 근무성적평정, 보수제도, 승진 전보, 인간관계, 사기, 복무규율 등을 다루어야 한다.

그리고 아시아 개별 국가 정부의 인적 자원을 효율적으로 활용할 수 있게 되고 인사행정을 통해 인적자원관리 전반에 대한 기본적 이해력을 높이고 각종 인사문제를 해결할 수 있으며 경영학적 관점에서 인사 전반을 바라보는 지혜도 얻을 수 있을 것이다. 또한 이를 통해 인적자원관리에 미친 영향도 알 수 있다.

결론적으로 국제행정론에서의 경영학적 토대를 살펴보고 많은 학술적 영향 위에 있다고 할 수 있다는 것도 깊게 알 수 있었으며 경영학의 일부분인 것을 부수적으로 알 수 있다. 그러므로 우리는 새로운 발견 속에서 다양한 하위 과목의 연관성을 살펴보면서 학술적으로 풍부하면서도 경영학적 관점을 충실히 이행하면서 국제행정론이 아시아를 상당히 독창적으로 바라보고 있다는 점도 고루 살펴볼 수 있다.

Ⅳ. 아시아지역학과 경영학적 정치학

아시아지역학에서 정치학은 일반적인 정치학과는 다른 접근법을 요구한다. 그 특성상 정치학 중에서도 정치경영학적 관점에서 정치학을 바라보지만, 그 밖에도 아시아지역학과 경영학에 모두 부합하도록 정치학이 개조하여 손질된다.

아시아지역학에서 경영학적 정치학은 그 개별적 이론을 배우고 활용하여 현실정치 현상을 이해하고 분석할 수 있는 능력을 배양해야 하는 데 특히 세계화가 진행되는 현 상황에서는 국제경영 능력을 갖추는 것이 그 기본이 된다. 글로벌화된 환경은 어떤 것인지를 이해하고, 최근의 글로벌 경영환경에서 주요한 전략적 이슈에 대하여 이해하고 경영정보에 대한 기초를 이해해야 한다.

한편 현대사회에서 경영정보에 대한 요구가 증가하고 정치학에서도 경영정보를 활용한다. 이러한 경영정보를 얻는 과정에서 국제경영적 마인드를 활용한다. 이 과정에서 4차 산업혁명 시대를 맞이하여 현대의 업무환경과 비즈니스 환경 그리고 정보기술 환경은 하루가 다르게 급변하고 있는 현실을 실감해야 한다.

또한 이러한 현실은 현재의 구성원들과 미래의 구성원들로 하여금 정보기술과 정보시스템에 대한 보다 정확하고 바른 이해와 활용 능력을 요구하고 있다. 이러한 현실적 요구에 맞기 위해서 실무에서 사용되고 있는 다양한 정보시스템을 바르게 이해하고 정보시스템과 관련된 기초지식을 학습하는 것이 중요하다.

정치학적 이해의 바탕 속에서 국제경영적 마인드와 세계화의 마인드를 가지고 경영정보 및 경영정보시스템의 의미와 역할, 경영전략 및 정보전략, 데이터관리, 비즈니스프로세스와 전사적자원관리, 데이터 통신은 물론, 경영정보시스템의 실제 활용 방법을 이해해야 한다.

또한 개인의 업무 처리 능력 향상 및 데이터 관리 및 전사적자원관리를 위한 소프트웨어 패키지를 이용한 실습도 확립해야 한다. 이를 통해서 아시아지역학적 정치학의 본질을 이해하게 될 것이다.

한편 대학 교육에서 그 과목을 중심으로 아시아지역학에서 경영학적 정치학을 살펴보면 학술적으로는 정치학을 아시아지역학에 맞게 혁신적으로 변형한 것이다. 일반적으로 배우는 국제경영과 경영정보론이 접목된 정치경영학 위에 아시아의 특수성도 함께 추가하여 다루는 형태이다. 또한 이러한 학문에 있어 하위 과목으로 무역학개론, 국토와환경, 식생활과문화, 헌법 I , 채플 I , 서양고중세철학사, 정치학개론, 지방행정론, 인도개관, 인도인은누구인가?, 처음 만나는 인도, 인도비즈니스입문, 기숙대학생을 위한 온라인 세계시민교육 등이 있다.

한편 이러한 과목들은 아시아지역학과 경영학적 정치학과 긴밀한 연관성을 가지는 것으로 학술적인 관점에서 볼 수 있다. 그러므로 아시아지역학에서 정치학은 경영학의 일부이자 한 조각이다. 한편 그러한 하위 과목에 대해서 아래에 자세히 기술하고자 한다.

무역학개론은 영어로 'Introduction to International Trade'라고 한다. 기본적으로 무역학개론은 국가 간의 상거래 현상에서 발생하는 여러 가지 문제들을 연구하는 실천적인 학문이다. 무역학은 국제무역학과 무역실무학으로 나눌 수 있다. 국제무역학은 국가 간의 무역이 발생하는 원인과 특성, 효과 등을 연구하는 학문이며, 무역실무학은 국제무역의 실제적인 거래 절차와 방법 등을 구체적으로 연구하는 학문이다.

위의 무역학을 개론에서는 개괄적이고 총체적인 내용을 소개하는 기초적 역할을 하며 무역학의 학문영역, 접근방법, 국제무역의 기초이론, 무역실무의 기초이론, 국제경영의 기초 분야 등 무역학 전반을 학습함으로써 기초지식을 배양하고 국제경영에 대한 이해도를 높이는 것에도 크게 도움이 된다. 한편 이를 통해서 무역의 기본 개념과 원리도 이해하고 국제무역의 현황과 문제점을 분석함으로써 경영정보에 대한 정보를 능동적으로 수집할 수 있으며 무역과 관련된 다양한 분야에서 활약할 수 있는 인재로 올바르고 혁신적으로 성장할 수 있다.

국토와환경은 영어로 'Territory and Environment'라고 한다. 아시아는 세계에서 가장 다양한 자연환경과 다양성을 가지고 있으며 그 근원은 개별 국가의 국토와 다양한 문화에서 기인한다. 이러한 아시아의 국토와 환경은 삶의 터전으로 생활국토, 국가 및 지역경쟁력의 원천으로서 자원국토, 그리고 미래세대에 물려줄 유증 가치로서 환경국토를 포함한 모든 개념에서 우수하다고 할 수 있다.

최근 대두되고 있는 '지속 가능한 발전'은 현세대의 필요와 미래세대의 수요를 함께 충족시키려는 통합적·균형적·생태적 개념이기에 다양한 각도에서 다채롭게 논의 되고 있다. 따라서 국토와 환경의 통합적·균형적·생태적 발전에 대한 체계적이고 종합적인 연구에 중점을 두어 살펴보아야 한다. 또한 국토와 환경에 대한 현상적인 문제뿐만 아니라, 이에 대한 처방까지 포괄적으로 다루어 볼 필요가 있다.

이처럼 국토와 그 환경에 대해서 살펴보고 연구하는 것은 다양한 환경을 살펴서 경영에 큰 도움을 줄 수 있으며 기본적으로 경영에 대해 살펴보고자 한다면 또한 어떠한 국가에 진출하고 시장에 진입하고자 한다면 반드시 해야 하며 이렇나 부분을 다채롭고 폭넓게 살펴봐야 하는 것이다.

식생활과문화는 영어로 'Food and Culture'라고 한다. 인간의 삶과 그 발전은 식생활 문화를 바탕으로 형성되며 지구상의 민족 집단은 생활환경을 배경으로 유사한 음식물을 공유하면서 살아가고 있으므로 식생활은 몹시 중요하다. 특히 의식주 중에서 한국이 유일하게 서방의 것이 주류가 되지 못한 것이 식생활이므로 그것이 가장 개별 민족의 특성을 드러내고 있음을 알 수 있다.

또한 아시아는 세계에서 가장 다양한 식생활 문화를 가지고 있으므로 식생활과 문화의 중요성을 이해하기 위하여 식생활 문화의 형성 요인 및 발전 과정에 대해 알아야 한다. 이어 아시아의 전통적 식생활 문화의 특성을 비롯해 기본적이고 올바른 식생활 문화를 위한 통과의례와 식생활, 식생활 문화의 개념과 형성 요인 및 발전 단계, 역사적인 체험 및 문화유산 등에 대해서도 집중적으로 살펴보아야 한다.

이러한 식생활 문화는 개별 민족의 접근을 넘어 하나의 문화적 코드이므로 경영에 있어 문화적 이해에 필수적인 것으로 알 수 있다. 그러므로 식생활과 그 문화를 경영학적으로도 반드시 이해해야 아시아의 시장적 접근이 가능하다는 것도 깊게 명심해야 한다.

헌법 I 은 영어로 'The Constitutional Law I'이라고 한다. 아시아를 비롯하여 국제적으로 근대 국가가 형성되면서 국가의 최고법규범으로써 헌법의 지위는 그 내용과 실질적 기능에 상관없이 굳건히 형성되었다. 이러한 헌법은 개별 국가에 접근하기 위해 필수적으로 이해해야 하며 그 헌법학적 개념들을 명확히 이해하기 위해 아시아 국가의 헌법적 기원과 발전의 역사적 맥락을 살펴보고 그 사상적 기초와 기본원리를 터득할 필요가 있다.

또한 헌법의 가장 규범적 규율로 기본권에 대한 포괄적인 이해도 필수적으로 수반해야 한다. 그리고 하위 법률의 일반이론과 더불어 이를 적용한 각국의 판례들을 함께 살펴봄으로써 아시아 경영에서 어떻게 헌법이라는 규범이 실천적으로 구현되고 있는지 중요하게 고찰해야 한다.

이를 바탕으로 전체적인 아시아 국가 질서를 규율하는 헌법이 어떻게 운용되는지 방향성을 인식함으로써 구체적인 헌법의 총체를 경영학적 관점으로 적용하여 다룰 수 있는 분석 능력과 추론 능력을 배양해야 한다. 그리고 위와 같은 능력을 통해서 실제 일상에서 만날 수 있는 여러 가지 현실적 문제에 대해서 구체적 해결책을 창의적으로 도출하고 제시할 수 있는 능력을 제고하는 것도 깊게 인식해야 한다.

채플 I 은 영어로 'Chapel I'이라고 한다. 채플은 그리스도교에서 예배를 드리는 공간을 지칭하는 영어단어로 일반적으로는 종교 재단의 학교에서 정기적으로 이루어지는 예배나 종교 수업을 의미한다. 그런데 이 책에서 그리스도교라는 직접적이고 종교적인 단어를 쓰지 않은 것은 우리는 아시아지역학적 관점에서 그리스도교를 살펴보아야 하기 때문이다.

세계적으로 가장 많은 종교도 그리스도교이고 아시아에서도 그 교인의 숫자가 상당하며 그리스도교를 믿지 않더라도 아시아 전역에 미치는 영향력이나 관습은 상당하다. 고로 아시아에서 문화적으로 가장 많은 영향을 주는 종교는 그리스도교이다.

아시아지역학적으로 그리스도교를 살펴보면 그 교리에 관심을 가지는 것이 아니라 그리스도교의 성서의 학술적 측면을 살펴보고 그 영향을 보아야 하는 것이다. 그러므로 성서의 아시아지역학적 지혜를 살펴보고 아시아에서 그리스도교가 미치는 영향을 정치학적으로 살펴본다면 아시이지역학의 연구와 학습에도 깊은 도움이 될 것이다.

서양고중세철학사는 영어로 'History of Ancient-Medieval Western Philosophy'라고 한다. 학문의 뿌리는 철학이며 철학이 그 뿌리이지 않은 학문은 없다. 다만 아시아지역학과 같은 응용학문은 이와 다소 거리가 있어 이를 잘 인식하지 못한다. 그러나 아시아지역학은 의외로 철학과 깊은 관계가 있으며 철학의 발전이 미치는 영향이 상당히 크다.

그러므로 철학에 대한 이해는 경영학에 있어 필수적이며 당연히 아시아지역학에 있어서도 필연적이다. 특히 현대 철학은 그 근원이 서양 철학이므로 그 출발점인 고대 그리스와 로마 철학에서 중세 시기 철학에 이르기까지 기본적인 서양 철학 발전의 흐름을 개괄하고, 서양 철학 개념과 이론의 발전 맥락을 경영학적으로 이해할 필요가 있다.

또한 서양 고대철학 시기에 자연철학자들을 거쳐 소피스트, 소크라테스, 플라톤, 아리스토텔레스 등의 철학자를 통해 서양 철학의 핵심적이고 주요한 철학 개념들과 이론들이 확고히 자리 잡았다. 이러한 과거의 이론적 토대를 통해 서양 중세 시기에는 신학의 입장에서 이전의 다양한 철학적 입장들을 총괄했다. 따라서 중세 철학의 대표적 학자인 아우구스티누스와 토마스 아퀴나스의 논의를 통해 중세 철학의 기본적 철학 개념들과 이론의 발전 맥락을 살펴보아서 이를 통해 서양 철학의 이론적 발전 상황을 파악함으로써 후대 철학에 미친 영향을 평가하는 기준도 확립해야 중립적인 자세에서 철학을 긍정적으로 활용할 수 있는 것이다.

정치학개론은 영어로 'Introduction to Political Science'라고 한다. 현대 시대가 도래하면서 정치는 개별 위정자의 소유가 아니라 모든 민주 시민의 소유로 경영학을 이해하고 학습하는 민주 시민으로서의 정치학은 단순한 기본소양을 넘어 중요한 학문이고 경영학에도 깊은 영향을 주고 있으므로 정치학 전반에 대한 이해를 도모함과 동시에 올바른 학술적 의식을 함양하도록 해야 한다.

이를 위해서는 경영학적 입장에 의해서 기본적인 정치학 핵심 개념과 국가, 정치체제, 정치이념, 정치문화, 정치사회화, 정치과정 등을 살펴보아야 한다. 또한 전통적 법질서 이념인 법치주의의 바탕으로 정당과 의회, 관료제와 공공정책 등을 고찰하며 더 나아가 국제정치, 남북 관계 등에 대한 기본적 지식과 이해를 함양해야 한다.

이를 바탕으로 기본적인 정치학 개념을 이해하고 현대사회의 정치 현상을 분석함으로써 민주시민으로서의 올바른 정치의식과 자질 함양을 기대할 수 있고 경영학의 이해를 높이며 현실 정치의 탐색에도 도움을 주어 아시아지역학의 개별적 국가에 대한 깊은 이해에도 올바른 도움이 될 수 있다고 할 수 있다.

지방행정론은 영어로 'Local Administration'이라고 한다. 기본적으로 지방행정론은 지방행정에 관한 학문으로, 지방행정의 기본 개념, 구조, 기능, 운영 등에 대해 연구하는 학문이다. 지방행정은 국가의 행정권을 지방에 분산하여 행사하는 것을 말한다. 지방행정론은 지방행정의 발전을 위한 이론적 토대를 제공하고, 지방행정의 효율성과 효과성을 높이려는 방안을 제시하는 데 이바지한다.

지방행정론은 크게 두 가지 관점에서 연구될 수 있다. 첫 번째는 지방자치의 관점에서 연구하는 것이다. 지방자치는 주민이 주권을 행사하는 방식으로, 지방행정은 지방자치의 구현을 위한 수단으로 볼 수 있다. 따라서 지방행정론은 지방자치의 의미, 가치, 원리, 제도 등에 대해 연구한다.

두 번째는 지방행정의 관점에서 연구하는 것이다. 지방행정은 국가의 행정권을 지방에 분산하여 행사하는 것이다. 따라서 지방행정론은 지방행정의 조직, 기능, 운영 등에 대해 연구한다. 지방행정의 조직은 지방자치단체, 지방의회, 지방의회 의장, 지방자치단체장 등으로 구성된다. 지방행정의 기능은 주민의 복리 증진, 지역 사회의 발전, 국가의 발전에 이바지하는 것으로 구분된다. 또한 그 운영은 지방자치단체의 예산, 인사, 조직, 정책 수립 및 집행 등에 관한 것이다.

이러한 지방행정론은 아시아지역학에서 특히 중요하다. 아시아지역학이 아시아 경영에 대해 다루므로 아시아는 그 다양성이 있으므로 개별 지방에 대한 자치성이 높아 그 지역에 대한 이해가 필요하므로 지방행정론을 통해 이를 학술적으로 올바르게 고찰하는 데 도움이 된다고 할 수 있다.

인도개관은 영어로 'Introduction of India'라고 한다. 인도는 21세기의 떠오르는 국가 중 하나로 아시아에서 그 영향력은 고대부터 상당했으나 현대에 이르러 경제적 성장과 규모로 그 존재감을 강하게 확대하고 있다. 또한 문화적 다양성과 인류학적 가치도 작지 않으므로 여러 부문에서 깊은 학술적 연구와 학습이 급격하게 요구된다.

인도의 정치, 경제, 사회, 문화, 지리 등 제반 측면의 기본적 이해하며 인도의 중요성을 포함한 국제적 위상을 살펴보면 아시아지역학에 있어 새로운 길이나 색다른 부문도 살펴볼 수 있을 것을 전망된다. 그러므로 인도의 기본적 특성과 기본적 형태에 대해 깊이 있는 학습과 탐구를 해야 하며 아시아에서의 그 역할도 한 번 깊게 상기할 필요가 있다.

인도인은누구인가?는 영어로 'The Thought Way of Indian People'이라고 한다. 해당 국가를 이해하기 위해서는 그 나라의 사람을 이해하는 것이 기본이다. 그러므로 인도를 이해하려면 제일 먼저 인도인에 대해 이해해야 인도에 대한 이해를 시작할 수 있으며 아시아지역학과 경영학적으로 인도를 바라볼 수 있다.

인도인은 세계 인구의 약 17%를 차지하며 남아시아의 인도와 그 주변 국가들에 거주하고 있다. 종교적으로는 힌두교, 이슬람교, 기독교, 불교, 시크교, 자이나교를 주로 믿으며 언어로는 힌디어를 주로 쓰고 남부에서는 타밀어, 텔루구어 등을 사용하기도 한다.

사회적 기준에서 카스트 제도의 영향을 받아 다양한 계층으로 나뉜다. 카스트 제도는 인도의 전통적인 신분 제도로 오늘날 인도에서는 헌법상 인정되지 않아 카스트 제도의 영향력이 약화하였지만, 여전히 인도 사회에 큰 영향을 미치고 있다. 또한 힌두교의 경우 다신교적 특성으로 다양한 문화적 풍부성을 가지고 있으면서도 국제적으로 4위의 신도 규모와 상당한 영향력을 가지고 있고 한국에도 관련 신도 그룹이 있을 정도이다.

고로 인도인은 세계적으로도 다양한 언어, 종교, 문화를 가진 민족으로, 인도 사회의 다양성을 대표하는 존재이다. 인도인은 아시아에서 중요한 역할을 행하고 있으므로 정교하게 살펴보아야 한다.

처음 만나는 인도는 영어로 'An Introduction to India'라고 한다. 인도를 바르게 살펴보고자 한다면 먼저 우리가 가진 편견을 버리고 중립적인 자세로 살펴보아야 한다. 그렇기에 우리는 앞에 일부로 부정관사 'a'를 붙였다.

인도에 대해 가진 편견을 열거하면 대부분 더럽고 부정적인 것이다. 그것에 천착되어 사로잡힌다면 우리는 아시아지역학적으로 인도에 대해 조금도 살펴보지 못하고 편견의 늪에만 허우적거려서 그것이 인도인지 아니면 도착한 곳이 아메리카 대륙인지 몰랐던 크리스토퍼 콜럼버스와 같게 된다.

부정관사는 대상이 특정되지 않아 이야기를 듣는 사람이 무엇인지 모르는 대상이기에 우리는 인도를 부정관사를 붙여서 바라봐야 한다. 따라서 무지의 장막을 두고 인도의 본 모습을 거리낌 없이 살펴본다면 국제경영에서 인도가 가지는 진정한 위상과 귀중함을 얻을 수 있을 것이다.

인도비즈니스입문은 영어로 'Introduction to India Business'라고 한다. 아시아지역학적 관점에서 인도를 살펴보면 우리가 가장 중히 생각하는 것은 인도 비즈니스이다. 그러므로 우리는 인도의 경제행위 및 문화, 법규제 등을 기반으로 인도인들의 경제 의식 및 비즈니스 행위와 형태 그리고 인도기업의 현지 경영 전략 및 관리, 해외시장 진출 전략, 생산, 구매, 노무 등을 학습하여 인도기업의 경영을 이해할 필요성이 요구된다.

또한 인도는 전통적으로 상업이 발달했으므로 인도인의 특성상 그들의 경영적 활동을 살펴보며 그들의 생각과 행동을 볼 필요도 있다. 기본적으로 인도인은 눈치가 몹시 빠르며 비즈니스에서도 상대방의 언어를 이해하지 못해도 그들의 행동을 통해 대략적으로 짐작하는 뛰어난 면모를 보인다.

한편 인도 상인들은 긍정적으로 이야기해도 그것이 꼭 긍정적으로 의미하지 않을 정도로 비즈니스 언어가 급격히 발전했으므로 발언에 대해 액면 그대로 받아들이지 말아야 한다는 점도 반드시 살펴야 한다.

기숙대학생을 위한 온라인 세계시민교육은 영어로 'World Citizenship Education for College Students Living in Dormitory'라고 한다. 오늘날의 세계는 상품, 사람, 서비스 등이 자유롭게 이동하는 초국적 사회로 급속히 변화하고 있다. 이러한 추세는 21세기가 되면서 세계화라는 이름으로 전 지구적으로 확산하면서 다양한 형태의 초국적 삶의 방식도 등장했다.

그러나 이러한 초국적 사회는 이주자에 대한 혐오와 편견 그리고 문화적 갈등이 확산하면서 새로운 삶의 방식에 대한 여러 문제가 증가하고 있다. 특히 가장 우리 사회에서 다문화적 사회를 한눈에 볼 수 있고 작은 지구촌으로 불리는 곳이 대학의 기숙사이다. 이는 외국인 유학생의 증가로 대학 기숙사만 들어가도 다양한 국적의 사람들을 만날 수 있다.

그러므로 기숙사생을 대상으로 한 세계화 교육이 가장 활성화되어 있지만 부족한 부문이 많다. 고로 '기숙대학생을 위한 온라인 세계시민교육'이라는 제목의 명칭에서 보듯 작은 지구촌인 대학 기숙사생을 위해서 세계시민교육을 온라인으로 쉽게 실시할 필요가 있다.

이를 통해서 대학 기숙사가 작은 지구촌 실험이 되고 사회적 공존을 관찰하면서 아시아지역학의 가장 큰 의의인 아시아의 고유성과 하나의 공존성을 찾고 국제적 감수성과 포용성을 얻어 국제적이고 새로운 비전을 찾을 수 있다.

위에서 언급한 과목과 사례를 통해 아시아지역학에서 경영학적 정치학에서의 토대를 살펴보고 많은 학술적 영향 위에 있다고 할 수 있다는 것도 깊게 알 수 있었다. 한편으로 미국 자유당, 영국 자유민주당, 일본 공산당이 정치적으로 그 영향력이 커지는 것은 결국 가장 보수적인 정치 분야에서도 제3의 대안을 MZ세대를 중심으로 요구한다는 점에서 학술적으로도 아시아지역학이 새로운 제3의 대안이 되어 신선한 혁신과 메기 효과를 통해 서구 중심의 학문을 탈피하는 것에도 도움이 될 것으로 전망되며 그것을 아시아지역학적 정치학이 선두에 이끄는 것을 알 수 있다.

그러한 발견 속에서 다양한 하위 과목의 연관성을 살펴보면서 학술적으로 풍부하면서도 아시아지역학에서 경영학적 정치학이 아시아를 상당히 독창적으로 바라보고 있다는 점도 고루 살펴볼 수 있으며 정치학도 경영학의 한 조각이므로 경시해서는 안된다는 것도 알 수 있다.

V. 아시아지역학을 중심으로 하는 경영학적 정치학의 연구 성과

본 연구회에서는 아시아지역학을 중심으로 하여 경영학적 정치학과 관련된 연구를 수행했으며 이러한 개별적 연구 성과에 대해 기고한 것을 아래와 같이 추가로 덧붙이고자 하며 이를 통해 정치학의 경영학적 측면도 제시하여 논의의 장을 넓게 열고자 한다.

한국 헌법의 형식적 틀과 그 유지 측면에서 살펴보면한국 사회를 비롯하여 국제적으로 법칙이나 규정이 세상 삼라만상의 모든 것을 구조적으로 담을 수 없음을 인식하고 관습법이나 조리에 의해 규정의 큰 틀을 이행하면서 수행하는 것이다.

이러한 것은 한국의 과거 역사를 보면 상당히 많은 사례를 볼 수 있다. 예컨대 제1공화국 당시의 부통령 유고 시 누가 그 권한을 대행하는 것에 대해서 구체적인 규정은 없다. 그러나 헌법 제52조에 대통령 권한대행에 관한 규정이 있고 국무총리 유고 시 장관이 그 권한을 대행하는 것을 보면 부통령 유고 시에는 국무총리(수석국무위원)가 그 권한을 대행하는 것으로 유추해석한 사례가 있다.

한편 우리나라의 불행한 과거이자 쿠데타에 대해서도 법리적으로 유추 해석을 한 사례를 살펴볼 수 있다. 5.16 군사 반란의 경우 국회와 내각을 해산하고 국가재건최고회의가 그 권한을 대행한 것이다. 이를 일각에서는 헌정 중단으로 보지만 사실 민주공화국 체제를 유지하고 있으며 제2공화국 헌법에서 최소한의 근거를 유추해석할 수 있으므로 헌정 중단이 아니라 제2공화국 체제 내에서 계엄령이 발동된 군정 상태로 봐야 한다.

국가재건최고회의의 성립은 헌법 제64조에 따른 계엄 상태이고 당시 구 정치인의 정상적인 정치 활동이 불가능한 상황에서 국회와 내각이 해산되고 이를 국가재건최고회의가 대행한 것이다. 또한 당시 헌법에 하원 해산 조항이 있었으므로 국회 해산은 국민의 관념적으로 가능한 행위이므로 무조건적인 초법적 행위는 아니다.

또한 이러한 과정을 당시 대통령이 승인했고 당시 군정이 제2공화국의 의원내각제를 존중하여 대통령제가 아닌 군정 내각을 구성했으므로 제2공화국 체제 자체를 파괴한 것은 아니며 공화국 내 집권 세력의 교체에 불과하다. 그리고 제3공화국 헌법 개정 당시에 구 헌법에서는 국민투표 조항이 없었음에도 국회를 대행하는 국가재건최고회의 의결 이후 국민투표를 통해 개정했다는 것은 국민의 지지와 정당성을 확보한 것이므로 사후 정당화 적 요소도 있다. 고로 제3공화국 개헌은 헌법의 제정이라고 보는 것은 틀린 학설이며 제2공화국에서 제3공화국으로 자연스럽게 헌법적 체통을 유지하면서 넘어간 것이다.

고로 5.16 군사 반란은 그 자체로 군사 반란은 맞지만 제2공화국 체제를 파괴한 것이 아니라 최소한의 헌법적 합법성의 테두리를 유지하려고 했다는 점을 살펴보아야 한다.

다음으로 10월 유신의 경우 친위 쿠데타라고 보는 것이 합리적이다. 다만 그 당시 변화된 조치는 국회를 해산하고 비상국무회의가 이를 대행한 것이다. 즉 행정부가 입법부의 권한을 행사한 것이다. 이러한 것은 당시 헌법 제75조에 따른 계엄령의 행사이고 대중이 국회를 해산할 수 있다는 관념을 가졌으므로 충격적인 행위는 아니다. 또한 제3공화국의 틀을 유지하면서 제4공화국을 출범했으므로 헌법상 남용이지 헌법 그 자체의 본질적인 파괴로 보기는 상당히 어렵다.

물론 우리 역사상의 쿠데타가 몹시 잘못된 것이고 민주주의 훼손 행위이지만 1948년 이후 헌법적 체제의 흐름을 형식적으로는 유지하고 파괴 없이 이어졌다고 법률적으로는 볼 수 있다. 물론 실질적으로는 훼손했지만, 형식상 유지했다는 점은 대한민국이라는 국가 자체가 연속적으로 헌법이라는 틀 속에서 유지되었다는 것이다.

내륙 해군의 중요성에 대해 살펴보면 대개 현대 국가이면 군대는 육군, 해군, 공군으로 구성한다. 이러한 군대에서 육군과 공군의 경우 아무리 후진국이라도 대개 갖추고 있는 경우가 많다. 하지만 해군의 경우 내륙국 중 일부는 갖추고 있지 않는 경우가 많다.

물론 내륙국은 그 자체로 바다가 없으므로 해군이 필요 없다고 생각할 수는 있다. 하지만 아무리 내륙국이라도 호수나 강이 없는 국가는 없다. 그리고 모든 호수와 강은 바다와 연결되어 있다. 그러므로 내륙국이라도 간접적으로는 바다와 연결되어 있는 셈이다.

또한 이 과정에서 바다에서 행하는 무역을 하지 않는 내륙국은 없다. 그렇다면 이러한 바다 무역과 바다와 연결된 호수 및 강의 안전을 보장하고 비내륙국에게 해양 부문에서도 우리가 군사적 대응을 최소한으로 보여줄 수 있다는 과시를 하기 위해서라도 최소한의 내륙 해군을 창설해야 한다.

한편 현대 국가의 군대는 기본적으로 육군, 해군, 공군을 필히 갖춰야 하는 점에서 내륙 해군이 없다는 것은 사실상 해당 국가의 군대가 큰 구멍이 나 있는 안보상의 위험이 상존한다고 볼 수 있다.

고로 내륙국이라도 반드시 내륙 해군을 갖추기 위해 노력해야 하며 비내륙국의 해군사관학교에 생도를 보내어 관련 교육과 최신 트렌드를 학습하는 것에도 최선을 다해야 하며 그것이 국가의 안보를 지키는 유일한 길임을 명시해야 한다.

현행 헌법상의 논쟁과 해석에 대해 살펴보면 한국 헌법 제36조 1항은 '혼인과 가족생활은 개인의 존엄과 양성의 평등을 기초로 성립되고 유지하여야 하며, 국가는 이를 보장한다.'라고 명시되어 있다.

이 조항에서 '양성'의 의미에 대해 다양한 견해가 있다. 그러나 이는 남성과 여성으로 해석하는 것이 아니라 기본적으로 현대 사회에서 결혼은 중혼이 금지되어 있고 두 사람 간의 성적 결합을 의미하는 점에서 두 사람으로 해석해야 하는 것이다. 고로 헌법상 명문화된 동성혼 금지 조항은 없으나 관습적 혹은 사회적 합의와 변화에 의해 허용되는 것으로 해석하는 것이 가장 합리적이다.

메소포타미아 문명의 재발견에 대해 살펴보면 메소포타미아 문명은 영어로 'Mesopotamian Civilization'이라고 하며 현재 서아시아의 티그리스강과 유프라테스강 사이의 중심 지역에서 발흥한 문명이다. 메소포타미아라는 뜻

자체가 두 강 사이라는 뜻으로 아카드, 아시리아, 바빌로니아 등 수많은 왕조가 등장했고 여러 문명이 발흥했다.

현재는 이라크를 중심으로 하여 시리아, 튀르키예, 쿠웨이트, 이란이 일부 점유하고 있으며 비옥한 초승달 지대이지만 여러 내전과 전쟁으로 인해 현재는 상당히 어렵다.

우리가 이 메소포타미아 문명을 통해 살펴볼 수 있는 것은 이 문명이 이집트나 인도 인더스, 중국 황허와 다르게 하나의 국가로 이어지지 못한 것은 상당히 개방적인 지형이며 자연 장벽이 없어 외침에 용이한 것임을 먼저 봐야 한다.

또한 이들이 현세적인 사고관을 가진 것도 그러하다. 고로 우리는 외침에 용이한 환경이 낳는 부정적인 면을 봐야 하며 이를 대응하기 위해 어떠한 방비책을 마련할지에 대해서도 살펴보아야 하는 교훈도 볼 수 있다.

역사적 명칭 연구에 대해 살펴보면 역사는 기본적으로 오래된 정치의 총체로 사실상 정치학과 일맥상통한다. 이러한 역사에서 명칭은 상당히 중요하며 지명도 사실상의 정치이므로 이를 분석해 보는 것도 의미가 깊다.

우리가 흔히 사대문과 보신각에 인의예지신을 따서 붙인 것은 잘 알고 있다. 다만 숙정문은 그 명칭이 숙지문이 아니라는 것이 의아함을 가지는 사람들이 많다. 기본적으로 숙정문에서 정(靖)은 편안하다는 의미이다. 그러므로 지(智)의 의미를 살펴보면 슬기와 지혜를 의미한다. 기본적으로 편안함 속에서 슬기와 지혜가 피어나고 편안과 슬기 및 지혜를 같은 것으로 보므로 정이라는 글자를 지와 같게 사용해도 되는 것이다. 즉 의미를 직접 전달하는 것이 아니라 속에 내포하는 고도의 뜻이 있으므로 상당하다고 할 수 있다.

또한 사소문을 살펴보면 서쪽에 있는 소의문과 창의문 모두 서대문인 돈의문의 의(義)를 따서 지은 것임을 알 수 있다. 이는 조선이 의를 중요시하는 국가이기 때문이다. 반대로 동쪽에 있는 동대문인 흥인지문은 조선이 의만큼 중시하는 인(仁)을 따서 지었다. 그러면 동쪽에 있는 소문인 혜화문과 광희문은 인이 들어가 있지 않아 의아함이 있다.

하지만 광희문의 희(熙)는 빛나다는 의미로 기본적으로 어짊은 빛이 나는 것이므로 인과 같은 의미로 볼 수 있으며 혜화문의 화(化)는 변화를 의미하는데 이는 어짊은 기본적으로 인간을 변화함에 있는 것이므로 역시 같은 의미라고 볼 수 있기에 희와 화는 인으로 대체하여 쓸 수 있다. 고로 이것도 고도의 의미를 숨긴 것이다.

한편 현대 지명을 살펴보면 성동구(城東區)의 경우 한양도성 동쪽에 있다는 의미로 최초에는 지어졌지만, 그 한자를 풀이하면 단순히 성 동쪽에 있다로 의미를 해석하는 것은 너무나 단편적인 것이며 '해가 떠오르는 고을'이라는 속 의미로 해석해야 한다. 또한 성북구(城北區)의 경우 '성 북쪽에 있다'로 해석하는 것은 단편적이며 기본적으로 북쪽은 물과 겨울을 의미한다. 이 두 가지는 정화의 의미를 전통적으로 내포하므로 '맑고 깨끗한 고을'이라고 해석해야 한다.

이외에도 경기도의 지명을 살펴보면 성남시(城南市)는 '남한산성 남쪽에 있다'는 의미로 해석하는 것은 단편적이며 남쪽은 푸르름을 상징하므로 '푸른 고을'이라고 해석해야 깊게 제대로 해석한 것이다. 그리고 남양주시(南楊州市)의 경우 '양주의 남부'라고 해석하는 것은 단편적이며 '푸른 갯버들이 모이는 곳'이라고 해석해야 올바르다.

또한 인천 서구, 대구 달서구에 사용된 '서(西)'라는 글자는 단순한 서쪽이라는 뜻이 아니라 그 상형 원리를 생각하면 새둥지라는 의미이므로 새로움이 깃드는 것이다. 따라서 인천 서구의 경우 '어진 마음이 깃드는 마을'이라는 뜻이고 대구 달성구의 경우 '현명함이 깃드는 마을'이라고 해석해야 한다. 그리고 울산 동구의 경우 '동(東)'이라는 글자가 단순한 동쪽이 아니라 '환한 해가 떠오르는 마을'이라고 해석해야 하는 것이다.

한편 연구회는 위와 관련한 연구를 통해 여러 제안도 주장했다. 현재 국내 로스쿨의 문제를 해소하기 위해서 학부 로스쿨을 신설해야 하는데 이는 의대처럼 법대를 6년제로 개편하여 2년 간의 법예과에서는 기본적인 법률 교육과 교양 교육을 하고 4년 간의 법학과에서 현재의 로스쿨 교육을 하고 변호사 시험을 치르도록 하는 것이다. 이에 따르면 서울대의 독점 현상, 법조인의 출신 학부 다양화, 과잉 학비 감경, 선발 과정의 투명성을 모두 확보할 수 있는 혁신적인 제안이다.

또한 방언이 군대를 가지면 언어가 되는 것처럼 언어도 정치학의 중요한 부분인데 이러한 점에서 제주도 사투리는 별도의 언어로 바라봐서 제주어로 보아야 하며 새로운 외래어도 한국어를 무분별하게 차용하지 말고 제주어와 연이 깊은 대만어와 몽골어를 차용해야 하며 우니시, 바벨어와 같은 국내에서 만든 인공어를 참조해야 한다. 또한 단어에서도 신문을 제주에서는 일보나 신보로 부르는 경향도 있으므로 한국어와의 차이점을 강화하여 한국어족의 개념을 강화하고 제주어의 독자성을 국제 사회에도 홍보해야 한다.

VI. 아시아지역학에서 삶의철학중국어강독과 생산운영관리

아시아지역학을 공부하면서 다양한 아시아 국가들에 대해 균형 있는 자세로 학습하지만, 상대적으로 서구에 비해 차별점을 많이 느낄 수 있는 나라로 중국이 있다. 중국은 그 국가 특성상 상당한 규모로 자체적인 세계관이 풍부하므로 아시아지역학을 연구하는 학자 관점에서 상당한 구미가 당기는 나라이므로 그 관련 연구가 가장 활발하다고 할 수 있다.

이러한 점에서 중국은 아시아지역학 그 자체이며 과거 역사를 살펴보면 중국은 상당히 높은 수준의 생산운영관리 기법을 가지고 있다. 특히 이러한 점은 산업혁명 이후 유럽의 생산품을 수입하지 않을 정도로 중국의 자체 생산품이 뛰어나서 아편전쟁을 이르게 한 역사적 사례가 있다. 또한 중국은 상당히 경영학적으로 연구 대상이다. 특히 중국의 역사는 바이오헬스인문학적 측면이 상당하다고 할 수 있으며 문화예술의 감각 활용도 뛰어나다.

한편 이러한 중국을 이끌었던 위대한 지도자와 그들의 선택에 대해서도 알아보는 것도 경영학적으로 중요하다. 그러므로 중국 고전 명문을 통해 중국인의 삶과 철학을 알아보면서 그 속에 담겨 있는 삶의 길과 지혜를 이해하여 자아를 발견하고 인생의 계획을 세워 삶 속에서 실천할 수 있도록 하는 방안을 찾아보는 것도 아주 중요하다. 또한 이러한 것에 있어 중국어 원어로 학습하는 것이 중요하며 중국어 문법에 대해서도 그 독특한 특유성이 있어 아시아지역학적으로 몹시 중요하다.

그러므로 중국 생산운영관리의 과학적이고 이론적인 사례를 중국어로 익히며 경영관리 체계의 주요 기능 영역으로서의 생산 시스템에 대한 효과적인 관리 방안을 살펴보고 전략적 경쟁 능력의 향상을 위한 생산 관리적 측면의 여러 접근 방법들을 살피고 기술혁신에 따른 생산 시스템의 변화 방향에 대해서 살펴보고 생산운영관리자의 기능과 역할에 초점을 맞추어 구체적인 관리체계와 기법들을 학습한다면 아시아지역학의 한 단계 높은 이해에도 도움이 될 것이다.

이러한 것을 집약한 삶의철학중국어강독(Chinese Reading of Life and Philosophy)은 일반적으로 배우는 생산운영관리를 중국의 사례를 통해 깊고 자세하게 다루면서도 아시아지역학적 특수성을 함께 규명하는 형태이다. 한편 이러한 생산운영관리는 기본적으로 서비스경영에 입각하므로 서비스경영에 대한 확고한 인식이 없으면 불가능한 것이다. 고로 중국의 서비스경영에 대해서도 생산운영관리에 녹여서 원어로 살펴볼 필요가 있다.

그 학문에 있어 하위 과목으로 보건의료법규, 한의학개론, 국사, 국민윤리 등이 있다. 한편 그러한 하위 과목에 대해서 관련 사항과 서비스경영에 입각한 생산운영관리를 비롯한 이론적인 구체적 배경에 대해 아래에 자세히 기술하고자 한다.

보건의료법규는 영어로 'Health & Medical Law'라고 한다. 생산운영관리에서 기본적으로 고객의 필요성에 대해 응하는 것이다. 아시아의 경우 모든 산업 중에서 의료 산업이 성장하고 있다. 의료 산업은 그 특성상 진입하려는 이는 적고 수요가 상당하여 많은 수익이 나는 산업이다.

아시아경영에서 의료 산업은 중요한 경제적 이슈이므로 이를 살펴야 한다. 그러나 의료 산업은 그 특성상 관련 법규에 대해 이해해야지만 접근하여 깊게 관찰할 수 있는 독특한 특징이 있다. 그러므로 보건의료법규에 대한 학습이 필요하다. 보건의료법규는 의료 관련 각종 자격과 기준, 의료시설과 기사 관련, 업무 관련, 기록, 보험 등 의료 전반에 걸친 원리와 원칙을 말하므로 이를 모두 살펴야 한다.

또한 이를 바탕으로 법 적용 사례 및 법적 문제에 적절히 대처하기 위한 기본소양과 의료 관련 법규의 국가별 현황을 파악하여 관련 이해도 높일 수 있다. 이러한 것은 중국의 과거와 관련하여 살펴보면 더욱 명확한 분석이 가능할 것으로도 전망된다. 아울러 중국의 의료 시장 수요는 세계적인 규모로 성장하고 있으며 이미 1위를 달성한 것도 첨언할 수 있다.

한의학개론은 영어로 'Introduction to Oriental Medicine'이라고 한다. 중국의 중의학과 한의학은 아시아를 비롯한 세계 의료시장에서 새롭게 뜨는 의학 기법이다. 특히 아시아의 고유한 학술을 담았다는 점에서 상호 비교하며 공통점과 차이점을 분석해본다면 의학에서의 아시아 특수성을 규명할 수 있는 하나의 좋은 사례이다.

이러한 한의학의 전반적인 체계와 원리를 이해하고, 음양 및 오행에 입각한 한의학 고유의 진단법과 치료법 등의 개론을 살펴볼 필요가 있다. 또한 이를 깊게 이해하기 위해 한의학의 개요, 음양오행학설, 정신기혈론, 경락학설, 장부학설, 질병과 병인, 사진(四診)을 학습하며 나아가 한의학이 비과학적이라는 편견과 오해를 덜고 인체와 질병에 대한 한의학적 관점의 배양과 한의학에 대한 전반적인 체계와 원리도 깊게 살펴야 한다.

한의학을 개론적 측면에서 살펴본다면 아시아 경영에서의 서비스경영이 차지하는 부문에서 의료 산업의 구체적 사례와 한의학이 가지는 아시아지역학적 학문 특수성도 두루 살펴볼 수 있으며 중의학과 다른 한의학의 부문을 비교하면서 중국의 특수성을 보고 서비스경영과 생산운영관리에 대해서도 깊게 이해할 수 있다.

국사는 영어로 'Korean History'라고 한다. 중국에 대해서 이해하려면 먼저 한국의 역사와 그 속의 근원을 파악해야지만 실질적으로 중국이 한국과 다른 점을 통해 생산운영관리의 올바른 사례와 차이점을 관찰할 수 있다.

그러한 점에서 국사를 학습할 필요가 깊이 요구되나 이는 철저히 경영학적 관점에서 살펴보아야지 과도하게 역사적 관점에서 살피면 학술적 애로사항이 필연적으로 생긴다. 고로 서비스경영을 하나에 두고 경영학적 이해를 통해 국사에서 관련 사례를 찾고 한국이 특유한 서비스경영을 내놓을 수 있는 역사적 근원을 모색해야 한다.

이렇게 하여 한국의 사례를 통해 중국의 사례와 비교 및 분석하여 관련 특유성을 규명할 수도 있을 것이다. 또한 이러한 학문적 특수성을 보면서 중국의 서비스경영과 생산운영관리에 대해서도 깊게 이해할 수 있다.

국민윤리는 영어로 'National Ethics'라고 한다. 기본적으로 국민윤리는 한 국가의 고유한 가치이자 철학으로 이를 이해하면 국가의 정신적 총체를 파악할 수 있으므로 아시아경영을 알고자 하면 반드시 알아야 한다. 또한 이러한 국민윤리를 통해 개별 아시아 국가의 서비스 경영 양식과 방향에 대해서도 이해와 습득을 할 수 있다.

그러므로 국민윤리를 학습하고자 하면 현대 및 전통사회의 가치관에 대한 이해를 바탕으로 개개인의 가치관과 윤리 의식을 확립하고 사회구성원으로서의 책임감을 습득하며 현실 상황을 도덕적, 윤리적 상황으로 이해하고 올바른 윤리 의식을 함양하는 동시에 중국의 사례를 보면서 현대사회에 필요한 윤리와 도덕성을 정립하는 방안도 모색해야 한다.

한편 아시아 전통사상 가운데 가치 있는 이론들을 모색하고 우리의 다양한 삶의 방식에 대해 이해하여 아시아의 정신적 가치에 대한 올바른 이해를 통해서 아시아 서비스경영의 정신적 차원까지 살펴보는 좋은 밑거름이 될 수 있다. 또한 이러한 학문적 특수성을 보고 서비스경영과 생산운영관리에 대해서도 올바르게 이해할 수 있을 것이다.

결론적으로 삶의철학중국어강독에서 중국이라는 사례를 통해 서비스경영적 생산운영관리를 살펴보고 이러한 경영학적 토대를 성찰하면서 많은 학술적 영향 위에 있다고 할 수 있다는 것도 깊게 알 수 있다. 또한 그러한 발견 속에서 다양한 하위 과목의 연관성을 살펴보면서 학술적으로 풍부하면서도 아시아를 상당히 다양하고 독창적으로 바라보고 있다는 점도 고루 살펴볼 수 있으므로 상당한 실험적 시도라고 할 수 있다.

VI. 아시아지역학에서 중국어권문화와 마케팅

아시아지역학을 공부하면서 기성적 서방의 관점과 다른 새로운 학술적 성과를 아시아가 거둔 것을 우리는 알 수 있다. 예컨대 몽골이 무력에 의한 국가가 아니라 상당한 정치학적 수준을 갖추고 있는 나라이며 이러한 것이 몽골학에도 깊게 반영되어 정치학과 의외의 연관성이 높은 점이나 우리가 연구하는 아시아지역학과 정치학의 깊은 연관성도 밝혀낸 사실이다.

이외에도 아시아는 새로운 혁신을 시도하고 있다. 예컨대 전 국회 보건복지위원장인 정춘숙 의원은 '초저출산 해법은 성평등부터'라고 주장했는데 이러한 것은 서구가 하지 못한 것으로 볼 수도 있다. 이외에도 본 저서처럼 아시아지역학은 특정 국가의 사례로 학습하는 것이 좋은 것을 밝혀낸 것도 아시아의 새로운 혁신이라고 할 수 있다.

한편 이러한 점에서 아시아지역학을 선도하는 국가 중 하나인 중국은 역사적으로 마케팅의 훌륭한 표본이라고 할 수 있는 국가이다. 그리고 현재 동남아시아의 선도 국가이자 가장 영향력이 강력한 베트남도 중국의 사례를 충실히 참고하고 있다. 또한 심지어 과거에 이미 멸망한 남베트남(베트남 공화국)의 후신 단체들도 중국에 대해 깊게 참고할 만큼 중국적 마케팅이 세계적으로 미치는 영향력은 상당히 강하다.

기본적으로 마케팅은 인간의 욕구를 충족시킬 목적으로 기업과 소비자 간의 이루어지는 시장에서의 교환 활동을 뜻한다. 이를 경영학적 입장에서 보면 다양한 경쟁 속에서 생존과 성장목적을 달성하기 위하여 전략을 기획하고 실행하는 관리과정 전체를 말한다. 이러한 마케팅은 몹시 중요하며 논리적 사고를 갖추고 합리적인 해결방안을 모색하여 소비자의 신뢰를 증가하는 것에도 마케팅이 큰 힘이 된다.

그러한 점에서 중국의 역사 속에서 인류의 다양한 마케팅 기법이 녹여진 다양한 사례를 살펴볼 수 있으며 이러한 점에서 중국의 문화적 원론과 마케팅과 관련된 소산을 깊게 평론해야 한다.

또한 보라색은 신비의 색상으로 이미지 컬러로 사용하면 젊은 감각과 고급스러움을 강조할 수 있는 데 이를 역사 속에서 중국 사람들이 최초로 발견하고 사용했다는 일각의 학술적 주장도 있다. 이외에도 중국어권인 세계 속의 화교를 살펴보면서 그들이 어떻게 살아남아 번영을 구가하는 것들에도 숨겨진 마케팅의 모습도 두루 살펴보면 아시아지역학 연구에 큰 도움이 될 수 있다고 할 수 있다.

대학에서 과목으로 중국어권문화(Topics in Chinese Culture)는 일반적으로 배우는 마케팅원론을 중국의 사례를 통해 깊고 자세하게 다루면서도 아시아지역학적 특수성을 함께 규명하는 형태이다. 그 학문에 있어 하위 과목으로 광고학, 소자본창업경영, 관광마케팅 등이 있다. 한편 그러한 하위 과목에 대해서 관련 사항과 이론적인 구체적 배경에 대해 아래에서 관련 내용을 자세하게 기술하고자 한다.

광고학은 영어로 'Theory of Advertising'이라고 한다. 기본적으로 광고는 대중을 대상으로 한 특정한 알림으로 구체적인 타켓층의 차이는 있으나 어찌 되었든 불특정 다수를 대상으로 구체적인 의미 전달을 하고자 하는 특징이 있다. 이는 커뮤니케이션에서 가장 다수에게 일방적으로 하는 사례이다. 이러한 점에서 광고는 효율적으로 잘 만든다면 짧은 시간에 다수에게 효과적으로 의미를 전달하고 각인할 수 있다는 점에서 심도 있는 기술이라고 할 수 있다.

특히 아시아는 세계적으로 후발 국가가 많아 인지도가 부족하므로 광고에 대한 깊은 이해와 사용을 절실히 필요로 하며 이미 중국을 비롯한 일부 국가는 국가 브랜드 광고를 만들어서 전파하고 있다. 이런 측면에서 현대의 아시아 광고 산업의 현황을 다채롭게 비교 및 고찰하며 관련 이론적, 실무적 지식을 두루 섭렵하고 광고와 관련된 주체들도 파악할 필요성이 각지에서 깊이 제기된다.

소자본창업경영은 영어로 'Opening & Management of Small Market'이라고 한다. 중국을 비롯한 아시아 대부분 국가에서 경제의 다수 비율을 차지하는 것은 소규모 자영업자이다. 이러한 자영업은 경제의 뿌리가 되면서 사회의 많은 영향을 미친다. 이들에 대해 경영학적으로 이해하고 특유의 선전 기법을 호객이라고 단정 지을 것이 아니라 문화적 방식의 하나로 이해해야 할 필요가 있다.

아시아지역학에서 아시아는 단순한 인식의 대상이 아니라 능동적인 주체이므로 사회의 큰 비율을 차지하는 이러한 계층에 대해 이해하지 못하고 단편적으로 넘어간다면 학문의 존재 의의를 훼손하는 것과 같다. 그러므로 소규모 창업 및 경영에서 반드시 알아야 할 실무 전반과 경영 전략을 알아보며 관련된 정치적, 경제적 여건도 파악하고 중국을 비롯하여 아시아의 국가별 개별 법률에 대해서도 이해해야 한다.

이외에도 프랜차이드와 같은 국가별 특유한 점과 고용 관계 및 고객 서비스에서 외부 환경이 미치는 영향을 본다면 사회의 큰 영향을 주는 소규모 자영업자 계층을 이해하고 이를 아시아 전반의 경영학적 이해로 넓힐 수 있을 것이다.

관광마케팅은 영어로 'Tourism Marketing'이라고 한다. 중국을 비롯하여 아시아 국가들의 전반적인 관광 산업이 성장하면서 각국은 관광 산업 발전에 무수한 자금을 투자하고 있다. 이는 아시아에 대한 서방의 편견을 거두고 새로운 관심을 일으켜서 아시아 관광의 붐을 발생시키는 것의 연장이기도 하다. 아시아의 관광은 그 특유한 가치와 사회적 질서 속에서 꽃피운 문화적 자산을 보여준다. 그러나 그 자산이 아무리 훌륭해도 대중이 알지 못하면 관광으로 이어질 수 없다.

이에 따라 아시아 지역은 관광마케팅이라는 새로운 개념을 접목하여 관광을 유도하기 위해 노력하고 있다. 이는 아시아 전역의 관심사이다. 이에 따라 관련된 관광마케팅의 중요성이 크게 부각되고 있는 현 시점에서 관광상품의 특성을 적용한 서비스 측면의 마케팅 개념을 살필 필요가 있다.

특히 관광 산업의 고객 지향적 경영을 위한 관광마케팅 기초 이론, 시대 변화에 따른 관광 상품에 대한 고객의 다양한 욕구와 추구하는 편익을 파악하기 위한 전략 수립에 대해서도 살핀다면 중국을 비롯하여 다양한 아시아 국가들의 관광 시장과 관련된 것에 대해서도 이해할 수 있을 것이다.

결론적으로 중국어권문화에서는 중국이라는 사례를 통해 마케팅원론을 살펴보고 이러한 경영학적 토대를 성찰하면서 많은 학술적 영향 위에 있다고 할 수 있다는 것도 깊게 알 수 있다. 그러한 발견 속에서 다양한 하위 과목의 연관성을 살펴보면서 학술적으로 풍부하면서도 아시아를 상당히 다양하고 독창적으로 바라보고 있다는 점도 고루 살펴볼 수 있으므로 상당한 혁신적 시도라고 할 수 있다.

Ⅶ. 아시아지역학에서 중국통상및시사&중국문명사와전통문화와 재무관리

아시아지역학을 통해서 우리는 새로운 세계에 대한 독립적 안목을 키우고 더 나은 가치와 창조에 대해서 이해하고 널리 나아갈 수 있다. 김영삼 정부의 실세이자 2인자이고 총재급 위상을 가진 민주자유당 대표위원을 역임하였던 김종필 전 대표는 '최고의 선은 물과 같다'는 말을 좌우명으로 사용했다. 이는 노자의 도덕경에 나오는 말이다. 이처럼 물은 어디에나 있지만 반드시 필요하며 자연스럽게 행하는 것이므로 선도 물과 같이 해야 한다는 것이다. 우리 아시아지역학도 아시아의 고유성을 찾아내지만 그것을 대놓고 드러내지 않는 점에서 물과 비슷하다고 할 수 있다.

한편 근래에 몽골에 대한 한국인의 관심이 올라가고 있다. 몽골은 우리와 친숙한 국가로 터키와도 깊은 역사적 및 문화적 관계를 맺고 있는 국가이다. 이러한 몽골(외몽골) 이외에도 중국 내몽골자치구(이하 '내몽골')의 역사성도 몽골에 대한 관심 증대와 함께 증가하고 있다. 특히 내몽골은 우리 한민족의 역사적 무대였기도 하므로 한국인의 깊은 관심과 적극적인 내몽골인에 대한 지원이 한국에도 좋은 영향을 줄 수 있다는 것도 근래에 선한 영향력에 대해 관심이 있는 학자들에 의해서 제기된다.

이외에도 이탈리아와 스페인이 역사적으로 깊은 관계가 있고 스페인어가 상당히 이탈리아어와 비슷한 부분이 많다는 것도 아시아 학자들이 유럽 학자와 달리 중립적으로 보았기에 발견할 수 있는 사실이다. 한편 과거 한반도의 국가를 연세 혹은 Yonsei라고 불렀다는 사실이나 한자 '萬'이 서쪽이라는 의미로도 사용될 수 있다는 점, 자유당과 민주공화당이 정치적 실체로 하나로 이어지는 정당이라는 것을 규명한 것은 아시아지역학을 연구하는 학자들이 밝혀낸 귀중한 연구성과이다. 이러한 것은 기성적 서방의 관점과 다른 새로운 학술적 성과를 아시아가 거둔 것이며 장대한 성과임을 우리 모두가 다시 한 번 성찰할 수 있는 셈이다.

한편 이러한 아시아지역학을 다시 살펴보면 경영학을 기반으로 한 것을 우리는 쉽게 알 수 있다. 경영학에서 재무관리는 가장 중요한 핵심이다. 재무가 없으면 경영이 될 수 없기 때문이다. 돈의 시간가치, 기본적인 자산평가, 기업의 재무전략, 위험과 수익률의 결정, 기업의 자본조달결정 등을 포함하는 재무관리의 기본적 이해를 토대로 투자론, 기업재무이론, 파생상품론 등을 심화적으로 알면서 기본적인 수학•통계 도구에 대한 이해를 바탕으로 실무에서의 올바른 재무관리를 행해야 하는 것이다.

이 과정에서 아시아지역학은 그 특성상 중국이라는 대상을 통해 살펴볼 수 밖에 없다. 다만 재무관리는 그 중요성이 상당하므로 현대 중국을 다루는 '중국통상및시사(Topics in Chinese Trade and Current Affairs)'와 과거 중국을 다루는 '중국문명사와전통문화(Chinese Civilization History and Traditional Culture)'를 통해 보고 미래의 중국도 계획해야 한다. 또한 이러한 학습 속에서 아시아지역학 특성에 맞는 재무관리를 이해하고 이를 다시 아시아지역학 연구와 학습 확장에 이바지해야 한다.

재무관리와 중국이라는 것을 염두에 두고 위에서 언급한 것의 대학 교육과 그 과목들을 살펴보면 일반적으로 배우는 재무관리를 중국의 현재와 과거의 사례를 통해 깊고 자세하게 다루면서도 아시아지역학적 특수성을 함께 규명하는 형태이다. 그 학문에 있어 하위 과목으로 사회학개론, 나를 바꾸는 글쓰기, 세상을 바꾸는 글쓰기 등이 있다. 한편 그러한 하위 과목에 대해서 관련 사항과 이론적인 구체적 배경에 대해 아래에서 관련 내용을 자세하게 기술하고자 한다.

사회학개론은 영어로 'Introduction to Sociology'라고 한다. 중국의 재무관리를 올바르게 바라보려면 그 사회 공동체의 특수성을 먼저 파악해야 한다. 이를 위해서는 반드시 사회학개론에 대한 선행적 학습과 이해가 필요하다. 특히 근대의 정신적, 경제적, 정치적 기본원리에 대해 살펴봄으로써 근대성의 기본적 구조를 개괄하는 학문으로 대중문화, 문화적 다양성, 세계화, 민주주의, 기술과 윤리 등의 주제를 세부적으로 검토함으로써 오늘날의 사회에 놓여 있는 제반 사회학적 쟁점들을 파악하고 이에 대해 어떤 시각을 가져야 하는지 검토하고 고민할 수 있는 시각을 제공한다.

이를 통해 사회의 문제의식, 기본개념, 기본관점을 이해할 수 있고 현대사회 속에서 중국의 다양한 부분들이 어떻게 이뤄지는지를 이해할 수 있다. 또한 아시아 사회의 기본원리를 파악할 수 있는 능력을 배양하고, 현대사회에서 발생하는 다양한 주제와 쟁점들을 개괄적으로 파악하고 경영학적 관점에서 아시아를 자유롭게 사유할 수 있는 초석을 마련해주며 재무관리에 대한 이해도를 높이는 밑거름이 된다.

나를 바꾸는 글쓰기는 영어로 'Korean Composition'이라고 한다. 발전은 곧 변화를 뜻한다. 옛날부터 오늘에 이르기까지 인간에게 발전이 필요했던 이유는 분명하다. 인간은 더 나은 가치를 추구하는 존재이기 때문이다. 하지만 발전을 추구하는 인간의 능력과 수명에는 한계가 존재한다. 그 한계는 반드시 극복되어야 하는데 인간은 그것을 글쓰기로 극복했다.

지식을 전달하는 글쓰기는 종이의 발명으로 새로운 장거리 혹은 초시대적 의사소통의 수단으로 확대되었다. 경영경제이해력을 얻기 위해서 우리는 다른 이가 쓴 지식의 글을 읽었고 그것을 바탕으로 타인과의 경영적 소통 수단도 글을 선택한 경우가 많다. 지금 우리가 살고 있는 디지털 시대는 그 어느 때보다 글쓰기의 중요성이 강조되고 있다. 미디어 매체가 발전하면서 문자 매체가 축소되지만 결국은 문자 매체는 모든 매체의 기본적 대본이므로 그것은 뿌리로 작용한다. 고로 글쓰기의 중요성은 오히려 디지털 시대가 되면서 매체가 늘어나므로 더욱 커진다고 할 수 있다.

그러므로 먼저 글쓰기는 나를 바꿔야 한다. 이 책의 독자는 대부분 한국인이므로 먼저 한국어로 쓰는 경영적 글쓰기를 해야 한다. 그것이 재무관리 이해의 최소한의 밑바탕으로 기술적 작용을 하기 때문이다. 나를 바꾸는 글쓰기는 내가 가진 요소와 속한 공동체를 먼저 이해하면서 가장 편한 모어로 편하게 나를 표현하면서도 기존의 자신을 바꾸고 한 단계 높이는 경영적 글쓰기 방법이다.

그것은 단순한 글쓰기로 보이지만 결국은 경영이해력을 발전시키는 창조적인 경영학적 방법이기도 하다. 또한 이를 통해서 중국의 재무관리를 살펴보면서 모어로 이를 풀어나가어 체화를 통해 입체적인 학습과 재무관리에 대한 이해를 높이는 것에도 도움이 된다.

세상을 바꾸는 글쓰기는 영어로 'Writing'이라고 한다. 재무관리 이해를 위해 경영적 글쓰기의 기초를 닦았다면 그것을 개인의 것으로 오롯이 가지고 있는 것이 아니라 타인과의 소통 수단으로 사용해야 한다. 말은 순식간에 사라지지만 글을 평생 남기도 하고 심지어 시대를 뛰어넘어 소통할 수 있는 숨겨진 힘을 가지고 있으므로 그 힘을 가지고 세상에 나서야 한다.

경영학을 공부하고 아시아지역학도 공부한다면 누구보다 다양한 글쓰기와 새로운 경영적 상황에 맞춘 글쓰기 능력을 가지고 있어야 한다. 특히 아시아지역학은 이제 만들어지는 학문이므로 스스로 사용자가 아닌 개발자적 입장과 결심도 동시에 가지고 있어야 하니 더욱 수준 높은 글쓰기 능력을 요한다. 이는 단순한 펜을 굴리는 것이 아니라 그 펜을 통해서 경영학을 바라보고 아시아라는 거대한 대륙을 움직이고 그 세상을 바꿀 수 있으며 그 기저에는 경영경제이해력을 깔면서도 문자를 두드리려면 선혈보다 진한 잉크의 힘을 가져야 한다.

나의 성찰이 나를 둘러싼 세계를 발견하고 더 나아가 세상을 재해석하는 것을 목표로 하면서 타인을 자발적으로 추종하거나 지지하게 해야 한다. 고결한 인간은 되지 못하더라도 추한 인간은 되지 않으면서 칼보다 강한 펜의 힘을 실천해야 한다. 또한 세상을 바꿀 수 있는 경영적 글쓰기는 편견에서 벗어나야 한다. 예컨대 우리 사회의 기성적 악습인 사농공상적 관념에서 벗어나서 기술에 대한 가치와 기술자에 대한 존중의 사고를 가지며 글을 쓰는 것도 그 사례로 하나 들 수 있을 것이다.

이렇듯 경영적 글쓰기와 그것을 아시아지역학에 적용하는 것은 몹시 힘들다. 하지만 경영이해력 기반 위에서 이를 실천하는 도구로 글쓰기를 이어나간다면 그것은 단순한 개인의 글이 아니라 세상을 바꾸는 글로 나아갈 것이며 재무관리의 올바른 이해의 길로 갈 수 있을 것이다.

위에 언급한 것을 통해 결론을 내리자면 대학 교육에서 중국통상및시사와 중국문명사와전통문화라는 과목에서는 중국이라는 사례를 통해 재무관리를 살펴보고 이러한 경영학적 토대를 성찰하면서 많은 학술적 영향 위에 있다고 할 수 있다는 것도 깊게 알 수 있다. 또한 그러한 발견 속에서 다양한 하위 과목의 연관성을 살펴보면서 학술적으로 풍부하면서도 아시아를 상당히 다양하고 독창적으로 바라보고 있다는 점도 고루 살펴볼 수 있으므로 상당한 실험적 시도라고 할 수 있다.

한편 위에서 언급한 것을 실제 사례로 적용해서 바라보면 근래 한국 사회의 위기가 현 시대에 도래했다. 일반적으로 지적되는 수도권 집중화가 심화되고 확장 강남이라는 말처럼 강남생활권이 수지, 기흥으로 확대되는 외적 문제도 있지만 내부적으로 형식적 과잉 도덕주의의 문제가 발생한다.

예컨대 음주운전에 대한 비판은 사회적으로 타당하다 하지만 사건 제보를 청취하는 과정에서 부득이한 음주운전과 같은 것은 참작 여지가 있는 것이다. 또한 성범죄에서도 일방적인 비난이 아니라 전후 사정을 보고 발언의 맥락을 정확히 파악하여 비판의 여지를 정해야 하는 것임에도 그렇지 못한 경우가 잦아 극단적 선택을 하게 만드는 문제가 있다.

이처럼 이런 형식적 과잉 도덕주의는 실질적인 도덕적 사회 구현의 적이며 사실상 부도덕을 키운다는 점에서 우리 사회가 지양해야 하는 것이다.

이외에도 과거의 사농공상적 사상에 빠져서 공업과 같은 것을 비난하거나 세계적으로 투자하는 기술교육의 중요성을 간과하는 것도 사회적 문제이다.

우리 아시아지역학계 내에서도 한국 사회의 위와 같은 문제에 대해 재무관리 부문에서 배운 창조적 사고로 해결해보고자 하는 시도가 있다. 한편 대학 편입에 있어 한국에서 다른 대학으로 편입하는 경우 그 학점은 학칙에 따라 인정해도 특정 과목을 구체적으로 인정하지는 않는다. 다만 유사한 과목에 대해서 수강하지 않아도 되도록 하는 형태로 전적 학점을 인정하는 경우가 있다.

특히 원격 교육을 통한 학위 형태에서 일반 대학으로 편입하고자 하는 경우 국제적으로 일반 대학에서 학위를 취득하면 원격 교육을 통한 학위가 전자와 유사한 경우 인정하지 않는 불문율을 주의깊게 볼 필요가 있음도 아시아지역학 관련 편입에서 요구된다.

대게 아시아지역학의 경우 경영학을 학습하던 학생이 편입하는 경우가 많다. 이는 아시아지역학이 사실상 경영학과 동일하게 보는 학계의 관행과 학술적 기반에서 그것을 찾을 수 있다. 그러므로 이러한 편입에서 문제점을 우리 학계 내부에서 좋은 가이드라인을 제시하여 학력 문제 해결에 조금이나마 기여했다고 할 수 있다.

한편 이러한 한국 사회의 여러 문제 속에서 아시아지역학을 통해서 새로운 시각과 대안적 사고를 하고 경영자적 마인드를 통해 신토불이를 맹목적으로 주장하는 것이 아니라 진정한 한국적 가치도 비교를 통해 찾아갈 수 있는 것을 알 수 있는 셈이며 이를 통해서 중국과 재무관리를 경영학과 아시아지역학을 통해 살펴본 것을 다양하게 응용 가능하다는 것이 여러 방면에서 혁신적으로 증명된 것이다.

Ⅷ. 대학 학과의 가상적 설치과 그 기능에 이해

대개 대학에서 학과가 설치되지 않거나 그 형태가 다르더라도 사실상 그 학과가 설치된 경우와 같거나 유사한 효과를 내는 경우가 많다. 특히 4차 산업혁명 시대에는 학문의 변화와 혁신이 상당히 빠르므로 학과 명칭을 그 속도에 맞춰서 자주 바꾸는 것이 사실상 불가능하다. 그러므로 본 장에서는 사실상 그 학과가 있는 것 같은 경우에 대해서 열거하여 학과의 이름을 보는 것이 아니라 그 내면의 본질과 교육에 대해서 깊게 볼 수 있는 올바른 정보와 시각을 제공하고자 한다.

문헌정보학과의 확장적 교육을 살펴보면 일반적으로 문헌정보학과라고 하면 기록학을 가르친다고 생각하지만, 한국에서 주로 설치된 문헌정보학과는 언어학을 중심으로 해서 종교학, 인류학, 지리학, 고고학을 포괄적으로 다룬다. 이 과정에서 주로 희귀한 언어도 함께 가르치는 데 주로 스페인어, 포르투갈어, 네덜란드어, 이탈리아어, 폴란드어, 헝가리어, 그리스어, 라틴어, 세르보크로아트어, 스웨덴어, 핀란드어, 덴마크어, 노르웨이어, 르완다어, 암하라어, 힌디어, 베트남어, 몽골어, 마인어, 미얀마어, 필리핀어, 터키어, 크메르어, 아랍어, 이란어를 가르친다. 또한 해당 대학에 일어일문학과가 설치되지 않았을 때 일본어도 본 학과에서 가르치는 것이 일반적이다.

신소재공학부의 확장적 교육을 살펴보면 신소재공학부의 경우 다양한 공학적 접근을 통해 응용을 통한 과학적 발견을 추구하는 학부이다. 주로 화학공학, 생물공학, 산업공학, 에너지자원공학, 원자핵공학, 조선해양공학, 항

공우주공학, 천문학, 지구시스템과학, 해양학, 대기과학, 지속가능기술학을 포괄적으로 다룸으로써 다양한 대상에 대한 제한 없는 탐구와 탐색을 모색하므로 사실상 위에서 언급한 모든 학과가 설치된 것과 같다고 할 수 있다.

융합생명과학과의 확장적 교육을 살펴보면 융합생명공학과는 그 학과의 명칭에서 보듯 상당히 많은 부문의 융합을 추구한다. 특히 농업생명과학을 상당한 탐구 영역으로 삼아서 농업자원경제학, 지역정보학, 작물생명과학, 원예생명공학, 산업인력개발학, 산림환경학, 환경재료과학, 동물생명공학, 응용생명화학, 응용생물학, 생태조경학, 지역시스템공학, 바이오시스템공학, 바이오소재공학, 간호학, 수의학, 치의학, 한의학, 디지털헬스케어학, 융합데이터과학을 다루어 단순한 생명공학을 넘어 포괄적인 생명과학의 접근을 추구하는 학과이다.

미술학과의 확장적 교육을 살펴보면 미술학과는 미술의 전반에 대한 것을 포괄적으로 다룬다. 서양화, 동양화, 조소, 금속공예, 도자공예, 미학, 미술사학을 포괄적으로 바라보면서 입체적인 미술의 이해와 그 본질에 대한 접근을 중심으로 하는 학과이다. 또한 그 과정에서 다양한 접근 방식과 해석이 가능하므로 대학에 따라 설치된 상황과 방식은 다양하지만, 기본적으로 다양한 미술을 다룬다고 해석 가능하다.

음악대학이 가상적으로 설치된 형태의 교육을 살펴보면 음악대학이 설치되지 않은 학교에서 음악 교육을 하는 경우 글로벌리더학부, 유학동양학과와 같이 사실상의 자율전공학부에 가까운 학과에서 담당하여 그 교육을 하는 경우가 많다. 이 과정에서 성악, 작곡, 관현악, 국악, 무용, 건반악기, 음악사학을 포괄적으로 가르치므로 그 경우 사실상 음악대학이 설치된 것과 다름없다고 할 수 있다. 한편 음악대학이 설치된 대학에서 한국음악과가 없더라도 대게 성악과에서 다루는 편이다.

사범대학이 가상적으로 설치된 형태의 교육을 살펴보면 사범대학이 설치되거나 일부 과목만 설치된 학교에서도 일반학과 혹은 연계전공을 통해 교직 이수를 하여 사실상 사범대학이 설치된 것과 다름없는 효과를 내는 경우가 많다. 이 과정에서 설사 해당 학과가 없다 하더라도 사실상 교직 이수를 할 수 있도록 하면 사범대학이 있는 것과 같게 바라보아야 한다.

또한 교육학부가 있는 경우 그 해석에 있어 사범대학뿐만 아니라 특수교육과, 유아교육과, 초등교육과가 모두 설치된 것과 같게 보아야 한다.

의과대학과 비슷한 생명시스템학부의 메디컬 교육을 살펴보면 생명시스템학부에서는 기본적으로 생명과학 이외에도 의학, 간호학, 뇌인지과학, 한의학, 치의학을 포괄적으로 다룸으로써 사실상 이 학부 출신은 의학전문대학원에 진학하는 경우가 많아 사실상의 의대 예과로 불리는 정도로 의학에 대한 수준이 상당하다고도 할 수 있다.

기초공학부의 통합공학적 교육에 대해 살펴보면 기초공학부가 설치되었을 때 해당 학부에서 건축학, 건축도시시스템공학, 환경공학, 기후에너지시스템공학, 휴먼기계바이오공학, 인공지능학을 포괄적으로 다루며 거의 모든 공학의 대상을 다룸으로써 사실상 그것은 거의 통합공학부라고 불려도 손색이 없을 정도다.

앙트러프러너십 전공의 철학·종교학·인류학 교육을 살펴보면 앙트러프러너십 전공이 설치된 학부는 해당 전공에서 사실상 철학, 종교학, 인류학을 가르치므로 해당 학부를 철학과, 종교학과, 인류학과로 볼 수 있다. 이는 해당 전공이 철학과 인류학을 기반으로 한 것이기 때문이다. 한편 비슷한 경우로 교직 과정이 있는 행정학과의 경우 사실상 그 학과가 사회학과이기도 한 것으로 보는 것이 일반적이며 예술학과는 미학과로 보는 것에서 문과 관련 대학 학과의 상황에 대해서도 부수적으로 함께 융합하여 살펴볼 수 있다. 또한 복지행정과의 경우 대게 일반적인 인문대학과 사회과학대학의 기초적 교육을 하며 철학과에서 칠예학, 민속학, 바둑학, 여성학을 가르친다.

IX. 새로운 백년의 문턱에 서서

아시아지역학은 인고의 산통 끝에 탄생한 아시아의 고유하고 독창적인 신생 학문이다. 그 소중함은 이루 말할 수 없으며 아시아의 학자 모두가 귀중함을 폭 넓게 느끼고 있다. 특히 여러 학문이 아시아지역학 탄생에 큰 도움을 주었지만, 산파 역할을 한 것은 경영학이다. 아시아 경영학자들의 헌신이 없었다면 우리는 아시아지역학이라는 학문을 볼 수 없었을 것이다. 한편 21세기는 아시아의 시대로 여겨지고 있다. 서구의 지식인들도 아시아를 주목하면서 더욱 발전하고 있다. 이러한 아시아의 부상 속에서 아시아지역학을 다시 돌이켜 볼 필요성은 필연적으로 제시될 수밖에 없다.

그렇기에 우리는 아시아지역학의 산파이자 학문적 토대가 된 경영학적 관점에서 다시 근원적으로 접근하고자 한다. 아시아지역학은 경영학과 불가분의 관계이며 아시아지역학은 경영학과 같다고 말해도 과언이 아닐 것이며 아시아지역학의 학사 학위는 사실상 경영학 학사 학위[1]와 같은 학위인 것으로 여겨진다. 한편 근래에 경영학적 관점을 통해 아시아지역학을 다시 재조명하면서 새로운 아시아 시대를 준비하는 데 아시아지역학의 힘을 믿으면서 이 장에서는 관련 칼럼을 편집하여 선보이고자 한다.

아시아가 새롭게 주목받고 새롭게 떠오르면서 서구 중심의 기성적 사고가 부서지고 있다. 물론 이 가운데 무질서한 혼란을 포장하는 세력은 경계해야 하지만 아시아의 고유적 가치를 발굴하는 것은 어떤 상황에서도 긍정해야

---

1) 일반적인 경영학사 이외에 '외국어로서의 한국어전공'과 같은 특수한 경영학 관련 학위도 포함됨

한다.

아시아 인식의 확장 측면에서 살펴보면 과거 백년이 서구에 의한 시대였다면 이제 새로운 백년은 아시아의 시대이다. 이 시대적 상황에서 우리는 아시아 고유 특성에 입각한 연구를 했으며 아시아지역학의 뿌리인 경영학을 살펴보고 아시아지역학과 경영학의 관계를 파악했다.

그러면서도 여러 아시아의 사례에 관해 연구를 하고 나름의 답을 찾아서 우리는 여러 매체를 통해 알리고 정리했다. 앞에서는 일반적인 학술적 이론에 관해 설명했다면 지금부터는 개별 사례에 관한 합리적 연구 결과를 칼럼 형태로 설명하기에 좀 다른 느낌을 독자가 받을 수 있다.

새로운 백년을 준비하는 이 시기에 아시아지역학의 가치를 알고 그 본연의 어머니 역할을 한 경영학을 다시 재조명하고 살펴봄으로써 원래의 아시아지역학이 가진 모습을 찾고 그것을 바탕으로 새로운 역사적 길로 함께 나아가길 청하면서 글을 마친다.

법학과 아시아지역학의 관계(Integrated Studies in Asian Area and Laws)를 살펴보면 기본적으로 법학은 법률에 대한 것을 다루는 학문이다. 이러한 법률은 공동체에서 개별 인간에게 사회가 강제적으로 부여하는 규범으로 이를 위반하면 강력한 제재를 받는다는 점에서 일반적인 도덕이나 윤리와 다른 독특한 면모가 있다.

또한 법학은 그 고유의 영역이 분명히 존재하며 법을 위한 법이 존재하는 것에서 알 수 있듯 사회적으로 공동체를 유지하기 위한 물리적 강제력과 함께하는 아주 효율적인 도구라고 할 수 있다. 이러한 법학이 아시아에도 전통적으로 있었으나 근대 이후 서구의 법학을 받아들이면서 기존에 아시아가 가진 법률을 업그레이드하여 시대상에 맞게 재설계하고 불비한 부분을 보완한 역사가 있다.

아시아지역학은 기본적으로 아시아를 다루고 경영학적 관점에 입각한다. 하지만 인간 공동체에서 법학이라는 독특하고 고유하면서도 개별 국가의 내밀함을 담고 있는 수단은 존재하지 않으므로 아시아지역학에서는 법학과 관련 개념을 다수 빌릴 수밖에 없다. 이러한 점에서 아시아지역학은 응용학문 성격상 법학을 받아들인 측면도 있지만 그 고유적 학문 특성과 아시아라는 다양성과 특수성을 모두 살피기 위한 수단으로도 받아들인 것이므로 법학에 대해서도 깊은 관심이 요구된다.

현대 동학 철학의 이해에 대해서 살펴보면 인간이 탄생하고 부족이 생기고 그것이 국가로 나아가면서 어느 국가이든 해당 국가를 하나로 이끄는 정신문화가 탄생했다. 이러한 정신문화가 체계화되어 하나의 철학 사조로 이어지는 데 우리 한국에도 그러한 것이 존재한다. 그것은 바로 동학이다. 우리는 동학이 최제우 선생에 의해 탄생했다고 알지만, 이는 절반만 사실이다. 동학은 고조선부터 이어져 오는 한국의 고유 철학 사조를 집대성한 것이고 그 이후 한국의 고유 철학이나 종교도 모두 동학에서 나온 것이다.

일례로 무교(巫敎), 선교(仙敎), 원불교, 증산교, 대종교 모두 동학에서 그 뿌리를 두고 있다. 이는 동학에서의 동이 단순한 서학의 반대가 아니라 동국(東國)이라는 의미이다. 이러한 동국은 단국(檀國)이라고 부를 수도 있는데 그 자체가 한국이라는 뜻으로 한국 고유철학이라는 말을 축약한 것이나 다름없다. 고로 유불선 합일이라고 주장하면서 동학이 유교, 불교, 도교를 섞었다는 것은 일제가 만들어낸 허구의 주장이다. 고로 동양철학이나 종교에서 불교나 유교는 인도, 중국에서 건너온 외래 사상이고 결과적으로 그것이 우리나라에서 응용되어 새로운 발전을 이룬 것은 사실이지만 고유의 사상은 아니므로 민족의 정신적 총체가 될 수 없다. 고로 동학만이 우리 민족의 유일한 정신적 총체이자 철학이다. 동학은 고조선부터 그 역사와 뿌리를 두고 있다. 고조선의 단군 설화도 동학의 사상을 그대로 담고 있다.

인간은 동물과 다른 이성을 가진 존재이다. 생물이 진화하여 인간이 탄생하고 이성이라는 것이 생겨나면서 동물과 다른 구분 점을 가지게 되었다. 동물은 본능에 따라 제한된 범위 내에서 기계적으로 움직인다면 인간은 창조적이고 자주적으로 움직이며 시대적 제약 조건이 있지만 그 인식은 무한하게 할 수 있는 특징이 분명히 있다. 다만 이러한 인간의 이성이 발전함과 동시에 가족이 확대되어 국가라는 개념이 세상에 등장하자 인간은 그 국가를 이끄는 하나의 이데올로기를 만들 수밖에 없다. 이는 위정자의 통치 효율성 측면도 있지만 공동체의 기본적인 결속을 위한다는 점에서 무조건 지배계급의 학술적 폭력이라고 단정할 수는 없다.

고조선도 이러한 흐름 속에서 탄생했다. 그 설화를 살펴보면 환인은 신의 무리로 보이며 신성시되고 이들에게 곰과 호랑이가 찾아와 인간이 되기 위해 비는 것이다. 그리고 곰은 동굴에서 쑥과 마늘을 먹고 웅녀가 되어 환인과 결혼하고 단군을 출산했지만, 호랑이는 그렇지 못하여 뛰쳐나갔다. 여기서 환인은 인간이 추구하는 절대적 가치이자 동시에 신이라고 부를 수 있는 순수하고 무결한 일종의 철인을 의미한다. 곰과 호랑이는 원시적인 상태의 인간으로 사실상 동물과 다를 바가 없는 그 본능만 존재하는 대상이다.

곰은 인간이 되고 환웅과 결혼하는 것은 곰과 같은 성격을 가진 이는 인간으로 되지만 호랑이와 같은 성격을 가진 이는 인간이 아닌 동물 상태에 머무른다는 것이고 결혼은 동물에서 탈피하여 신과 비슷한 수준으로 나아간다는 것이다.

여기서 곰은 미련한 듯 보이지만 용맹하면서도 인내심이 있고 본능을 누른다면 호랑이는 폭력적이고 힘은 강하지만 인내심이 없다는 것이다. 즉 본능을 인내하는 마음 속에서 이성이라는 것이 탄생하고 그것이 인간처럼 보이게 한다는 것이다. 동학은 기본적으로 인격신을 인정하지 않는다. 또한 서구의 신이나 절대자의 존재를 상정하지 않는다. 그저 신(한울님)은 하늘이 아니라 인간 누구에게나 있다는 것이다. 소위 원불교의 일원상으로 이 부분은 사람들에게 많이 알려져 있다.

인간이 신이라는 존재를 만든 것에 대해서 동학은 인간은 불완전하고 완벽하지 못한 존재인데 자신이 노력해서 바꿀 수 없는 부분이고 누구나 맞이하는 죽음과 같은 것에서 탈피하고 완벽해지고자 하는 욕망이 투사된 존재로 그것이 인격적으로 실존하는 것은 비과학적이고 비논리적이므로 부정하지만 그러한 한울님으로 대표되는 그 절대적 존재가 내면에 있다는 것은 좀 더 이성적이고 완벽하고 윤리적인 인간 존재로 나아가고자 하는 개인의 노력과 욕망을 총체한 것이다. 그리고 그것이 시천주 사상이다.

그러나 단순히 이것만 존재한다면 이기적인 욕망과 개인의 성취에만 국한된다. 그리고 그것은 사회적 존재인 인간이 사는 공동체 내부에서 만인에 대한 만인의 투쟁을 불러 일으킨다. 그래서 동학은 인내천 사상을 통해 자신의 존재가 고귀하듯 타인도 고귀하며 누구나 평등하고 존중해야한다는 인간 존중 사상과 생명 사상을 드러낸다. 또한 이러한 것에서 파생되어 인간 역시 자연에서 나온 일부이고 자연과 구분되지만 분리될 수 없는 존재이므로 자연 그 자체에 대한 인식과 존중을 요하는 점에서 일부 유물론적 특징을 강하게 가진다.

결국 동학은 개인과 자연을 하나의 세계로 보며 분리할 수 없다고 본다. 그 속에서 각자의 존재의 개성과 특성을 존중하고 상호 간의 행복과 평안을 누리고 공동체의 평화를 추구하면서도 인간의 창조성과 인식의 무한함을 긍정한다. 이를 통해서 미지의 세계에 대한 용기있고 과학적인 도전 정신도 부여하는 것이다. 다만 역사상 과학 발전의 속도가 늦어 이러한 철학적 관점을 대중에게 쉽게 설명하기 위해 신비스럽거나 비과학적인 비유를 설명한 부분은 있다. 하지만 본질에서 논리적이고 과학적이면서도 인간에 집중하나 그것의 자연적 실체도 인정하는 모습에서 현대 과학과 거의 입장을 같이 한다고 볼 수 있다.

그러므로 인간과 자연의 과학적 본질을 보면서도 초현실적인 개념을 인간이 왜 느끼고 가지고 있는지도 알면서 진리에 대해서 탐구하는 본연의 자세로 나가가는 점이 특징적이다. 그 속에서 정이나 한 같은 한국 고유의 문화적 가치고 만들어내고 유교의 중국, 불교의 인도와 다른 동학의 한국적 모습과 철학도 보여준다.

이러한 동학 철학은 한국 전통 철학의 총체이자 집대성이고 이후 모든 한국 철학도 여기에서 갈라져 나왔다는 점에서 민족적 정신 뿌리이기도 하지만 그 합리성과 과학성의 측면에서는 인류 공동의 학술적 자산이기도 하다. 고로 동학 철학을 협소하게 바라볼 것이 아니라 한국 철학의 모든 것으로 봐야 하며 이것을 더욱 한국적이고 독창적이면서도 창조적으로 인류의 보배가 되도록 발전시키면서 인간 상호 간의 좋은 정신적 연대의 도구로도 활용할 필요성이 제기된다.

위헌 정당 해산의 기준을 살펴보면 대게 정당은 공공연한 정치 결사체로 그 역할과 활동은 공식적인 표현행위로 이루어진다. 그러니 정당의 활동은 공식적인 행위로 그 표현에 있어 맥락을 파악하여 해석하나 그 표현행위를 수단으로 삼아 다른 속내를 그 속에 담고 표면적으로는 속내와 다른 주장을 하는 경우가 있다. 이 경우 숨겨진 속내를 파악하여 정당의 뜻과 가치를 반드시 알아내야 하고 표면적인 표현행위만 대상으로 하여 그 속내가 어떠하다고 주장할 수 없다.

다만 이러한 측면에서 속내와 표현행위가 일치하고 그것이 해로운 가치를 담고 있음에도 이것이 사회적 문제가 될 때 실제 속내는 다르다고 주장하는 것을 법리적으로 받아주는 것은 개인의 경우 헌법상 양심의 자유가 보장되어 가능하지만, 정당은 악용의 우려가 있고 별도의 정치 결사체이므로 사인보다 좀 더 협소하게 적용해야 한다.

그리고 한국의 정당은 대부분 과두 중심의 정당이므로 실제 비율은 낮아도 당의 핵심적 인사가 반헌법적 사고를 행하고 그것을 공공연히 주장하면서 이를 추종하는 세력을 형성함에도 그것을 당 내부에서 자정하지 못한다면 그 정당은 해산하는 것이 다수의 공리에 부합한다.

특히 이 경우 원내정당처럼 좀 더 많은 정치적 권력을 가지는 경우 그러한 것을 좀 더 강하게 적용하여 단순한 원외정당보다 해산의 기준을 좀 더 낮게 적용해야 한다. 사고 자체는 문제가 되지 않지만, 그것을 표출하면 경계해야 하고 행동에 취하려는 모습을 보이는 데 그러한 힘을 가진 정당이라면 사실상 행동한 것이나 다를 바가 없기 때문이다.

또한 그 과정에서 정당 내부 선거가 조직적인 주류 세력에 의해 부정적으로 여러 번 일어나고 반민주적인 사상과 사고가 만연하면서도 이를 폭력에 의해 하겠다는 의사를 보인다면 이는 민주주의에 대한 도전 행위이므로 사실상의 내부적 실천과 결의를 한 것과 다를 바가 없으며 그것이 외부로 표출되는 것은 시간 문제라고 할 수 있다.

이 가운데 위에서 언급한 것처럼 소위 비주류나 당원의 내부적 자정이 불가하고 당원은 동원되며 소위 비민주적이고 반헌법적인 행동에 동원되고 행하는 것이 우려되는 경우 그것이 지속해서 발생하고 우리 사회의 해가 될 때는 반란과 같은 직접적인 물리적 행위가 없더라도 정당을 해산시키는 것이 옳다. 특히 이러한 위헌 정당이 약자라는 이미지를 씌워서 언더도그마를 시도하는 경우가 있는데 이는 몹시 유해한 것이므로 이를 잘 구분할 필요가 있다.

기본적으로 정당은 선거에 의해 심판받고 때로는 정치적 권리를 잃어버리지만, 그것을 기다리기에 시간이 촉박하고 위급하면서 위에서 언급한 반민주적이고 반헌법적인 견해와 행동이 발생하고 내부 자정도 안 되면서 다수 국민의 지지까지 받은 상태라면 정당을 해산하지 않는 것은 오히려 집권 세력이 무책임한 것이다.

또한 이러한 정당 해산에는 반드시 선출직 공직자의 그 자격 박탈을 해야 한다. 그러한 점에서 일부분만 자격을 박탈하고 사인에 대한 제한적 사법 처리가 일어났다면 그것은 그 정당에 대한 최소한의 배려이고 다소간에 정당 해산이 조급히 일어난 것에 대한 반대급부로 내부의 비주류 세력에게 최소한의 기회를 제공하는 것이다.

아울러 헌법재판소처럼 일종의 심사 기구를 통해 공정하게 해산이 되었다면 그 내부에서 최대한 만장일치로 표명하도록 해야 하며 소수의 반대 의견은 일종의 법리적 우려 사항과 해산 이후의 내부의 극소수의 민주적 소수파를 배려하는 차원이지 그것을 빌미로 해서 해산의 부당성을 주장하는 것은 민주주의를 훼손하는 것이다. 고로 그 소수의견은 심사 과정에서 '악마의 대변인' 역할을 하며 심사숙고하도록 도움을 주고 극소수의 민주적 소수파가 도매금으로 묶여서 정치적으로 억울하게 박해받는 것을 방어하는 하나의 수단이지 그 자체가 하나의 결론이나 진리 혹은 면피의 수단으로 악용해서는 안 되는 것이다.

고로 정당해산에 대해서는 엄격히 이루어져야 하지만 그 성격이 민주주의에 대한 위협의 방어와 그 상황 자체가 시간상으로 촉박할 수밖에 없는 사안의 기본적 특성을 고려한다면 위에서 언급한 것이 공정히 적용될 때는 그 정당은 반드시 해산해야 하며 그 평가가 국민에 의해 정당성이 추인된다면 그것에 대해서 별도의 이견을 제시할 수는 있으나 그 자체를 부정하거나 훼손하는 것은 반민주적이고 반헌법적이다.

화인을 통해 보는 문명과 역사를 조명하면 현재까지 세계 4대 문명 중에서 현재까지 주류 민족이 교체되지 않고 하나의 문화적 공동체를 이루는 것은 중국이다. 이러한 점에서 중국은 몹시 독특한 국가이며 문명적으로 깊은 고찰이 필요한 국가이기도 하다. 그러나 중국인이 밖에서 나가 별도의 문명 공동체를 형성한 것이 통칭 '화교'라고 불리는 '화인'이다. 그들은 그 나라에 적응하지만, 별개의 중국이라는 문화적 코드가 깊이 남았다는 점에서 다른 민족의 이민과 다른 독특한 면모가 있고 이는 문명에 관한 연구에 있어 상당히 흥미롭고 중요하다.

과거 중국은 진의 최초 통일 이후 초한 쟁패기에 귀족 가문 출신인 항우와 강소성 농가 출신인 유방의 내전이 있었다. 이때 유방은 강성한 항우에게 위기에 처하니 자존심을 굽히며 사과하여 위기를 넘기는 지혜를 발휘했다. 하지만 항우는 진나라 수도인 함양을 정복하고 여산릉을 파괴하고 아방궁을 불태우는 등 자만하여 여러 만행을 저질렀다.

그러므로 중국은 유방에 의해 재통일되었고 이때 건국된 국가가 한이며 이 국호는 현재 중국 주류 민족인 '한족'에 새길만큼 그 역사적 가치가 깊은 국가이었다. 그리고 그 국가의 전통은 화인들도 가지고 있다. 특히 현대 중국이 공산당에 의해 지방 세력이 소멸하고 중앙집중화되었다는 점에서 화인들은 일종의 과거 한의 군국제처럼 하나의 제후 세력과 유사한 느낌의 문명 공동체로 보이기도 한다.

그러므로 화인이 현재 시대에서 보여주는 여러 가지 측면은 과거 역사부터 유래했으며 문명적으로도 몹시 깊은 연구 대상이므로 그 자체를 문명과 역사로 하여 다룰 수 있고 화인 자체가 인류의 모든 것을 직접 또는 간접적으로 담고 있으므로 그 자체를 또한 문명과 역사로 부를 수도 있다.

마지막으로 아시아지역학에 편입학 학생의 학점 인정 방식을 논의해 보자면 근래에 한국 사회의 고등교육 현상이 변화하면서 대학을 편입하는 학생이 증가하고 있다. 이에 따라서 각 대학의 편입학 학점 인정 방식이 제각기 달라 많은 혼란을 겪고 있다. 특히 아시아지역학은 경영학의 영향을 받은 신생 학문이므로 더욱 기준이 모호하여 본 연구회가 표준적인 기준을 제시하고자 한다.

경영학 관련 학과에서 이를 이수하고 아시아지역학을 제1전공 혹은 제2전공으로 하여 편입하는 경우 본 연구회에서 제시하는 학점 인정 방식을 따르면 대학 내부의 편리하면서도 효율적인 학습 및 교육 환경 구현이 가능할 것이다. 그리고 보통 대학의 편입하는 경우 제1전공 학점에 포함되는 학점, 교양 학점, 자유 학점으로 구성되어 학점을 인정한다. 이에 따라서 본 연구회는 제1전공, 교양, 자유 학점으로 환산하여 학점 인정을 하는 방식을 아래와 같이 제시한다.

제1전공 학점(아시아지역학을 제2전공으로 편입한 경우도 동일하다)으로 인정되는 학점은 전적 학점 중 전공필수[2]를 그대로 인정한다. 교양으로 인정되는 학점은 전적 학점 중 전공선택 학점을 2분의 1로 나눈 것에 교양 학점을 5분의 2로 나눈 것을 합산하여 학점을 인정한다.

자유학점은 보통 교양으로도 인정하고 제2전공학점으로도 인정되는 특수한 학점으로 분류되는 것을 의미하는데 이러한 자유로 인정되는 학점은 전적 학점 중 자유 학점을 53분의 10으로 나누어서 학점을 인정한다.

---

2) 학점은행제를 이수한 학생의 경우 자격과 독학학위제 시험면제인 전공필수 학점은 전공선택으로 간주하여 계산한다.

위와 같은 편입 학점 인정 기준을 통해서 효율적인 아시아지역학의 학사 과정 이수를 돕고 학생들에게도 명확한 기준을 범학교적으로 제시하여 아시아지역학의 발전과 안정에 높이 기여할 것으로 기대된다.

X. 서방 중심적 문명관에서 탈피하라

우주가 탄생하고 지구가 생긴 이래 진화를 통해 영장류가 등장하고, 그들 중 하나가 인류의 조상이 되어 현생 인류가 번성하게 되었다. 우리는 모두 하나의 종이지만, 여러 동물 중에서 가장 극단적으로 구분 짓는 존재이다. 이러한 우리의 조상은 상호 간의 뜻이 맞는 세력이 뭉쳐서 하나의 문명을 이룩하였고, 이러한 문명 속에서 현재의 발전과 영광을 누리고 있다.

현재의 한국도 지난날의 역경을 딛고 일어서서 세계 10위의 선진국으로 도약하였다. 비록 완벽하다고 할 수는 없지만, 다른 국가들에 비해 상당히 우수한 부분이 많은 국가이다. 그러나 한국 사람들의 사고 속에서 서방의 영향력은 지대하다. 그로 인해 비서방 국가들과 문명에 대해서 일부 곡해하거나 오해하는 경향이 있다.

이러한 경향은 한국과 비서방 국가가 소통하고 교류하는 데 있어 결코 긍정적인 영향력을 줄 수 없으며, 우리에게도 직접 및 간접적으로 피해를 줄 수 있다. 이를 극복하기 위해서는 서방 중심적 문명관에서 벗어나 다극적인 문명관을 가져야 한다. 다극적인 문명관은 모든 문명을 동등하게 바라보고 이해하려는 태도이다.

이러한 태도는 한국과 비서방 국가가 서로를 이해하고 소통하는 데 있어서 필수적이다. 특히 한국 사회가 다문화로 접어드는 와중에 다원적 사고를 갖추게 된다면, 우리가 진정으로 잠재된 힘을 끌어내어 우리가 모두 한 단계 성장하는 강한 힘이 될 수 있다고 확신한다.

한편 현재 한국에서 싫어하는 국가 중 하나로 중국이 꼽힌다. 특히 청년 세대의 반중 정서는 기성 세대가 보기에는 상상 이상이다. 그렇기에 중국에 대한 우리의 이해는 상당히 왜곡된 면이 있으며 여러 문명 집단 중 가장 부정적으로 보는 경향이 크다.

하지만 중국과 한국의 관계와 상호 영향력은 몹시 깊으며 우리는 중국과의 관계를 단절할 수 없기에 그들을 이해하고 우리에게 긍정적인 방향으로 상호 교류해야 할 필요가 있다. 과거 역사를 살펴보면 조선 왕조가 설립된 이래 한국은 중국과 전통적인 조공 책봉 관계를 형성했다. 이는 다소나마 민족적 자존심에 손상을 입기는 했다.

하지만 냉혹한 국제 질서를 보면 그 시대의 전통적 동아시아 세계에서 안정적으로 국가를 운영하는 데 있어 도움이 되었다고 할 수 있다. 하지만 개항 이후 조선과 중국 모두 서방 열강의 침략에 효율적으로 대처하지 못하고 근대화도 늦어짐으로써 주권이 침탈당하고 국익이 모두 열강에 의해 침탈당하는 비극적인 제국주의 시기를 거쳤다.

이러한 과정에서 중국은 국공내전을 통해 1949년 중화인민공화국이 수립되면서 완전히 공산화되었다. 한국은 일제의 식민지를 거쳐 해방 이후 남북이 분단되면서 6.25 전쟁이라는 동족상잔의 비극을 겪었다. 한편 중국은 북한을 지원해 주었고, 우리가 살고 있는 한국은 미국의 영향과 지원으로 자유주의 세계 국가가 되었다.

그러므로 전통적인 중국과의 관계는 사실상 단절되었고, 자유중국이라 불리던 대만을 통해 소통을 이어갔지만, 그마저도 미약하여 현재의 기성세대는 중국과의 문화적 교류가 거의 없는 세대가 되었다. 따라서 중국에 대한 이해가 떨어지고 내재적 접근이 이루어지지 않는 상황에서 오로지 서방의 관점으로 중국을 바라보니 오해가 쌓이게 되었다.

이는 양국 간의 소통과 교류에도 심각한 지장을 줄 뿐만 아니라 장기적인 관계에서도 심각한 문제를 일으킬 화근이 된다. 이러한 점에서 서방의 관점이 아닌 중국의 관점에서 중국을 바라보면서 우리가 가진 오해를 완화하고 진정한 소통을 이끌어야 할 필요성이 대두된다.

한편 인간의 탄생을 살펴보면 우리는 모두 각자 다른 사상, 생김새, 배경을 가졌다. 그러나 우리가 모두 어떠한 예외 없이 동일한 것은 모두 '호모 사피엔스 사피엔스(Homo sapiens sapiens)'라는 것이다. 이는 줄여서 인간이라고도 부른다. 우리는 동물 중에서 유일하게 문명을 이루고 산다. 다른 동물이 자연의 일부가 되어 살아갈 때 우리는 자연을 변형하고 각자의 편익에 따라서 행한다. 그리고 만물의 영장이라는 말처럼 온갖 동물을 자유롭고 창의적으로 거느린다.

하지만 우리 인간은 맹수처럼 날카로운 이빨이나 발톱도 없고 힘도 떨어진다. 그렇지만 위에서 말한 것처럼 문명도 이루고 인간 이외의 타자를 정복하여 살아가는 것은 인간이 다른 모든 동물보다 지능에 온 힘을 다한 존재이기 때문이다. 지능은 기존에 없던 새로운 것을 만들 수 있는 창조적 활동의 힘이 된다. 그렇다면 인간이 다른 동물과 달리 지능을 얻게 된 것에는 분명히 그 이유가 있을 것이다. 그것을 알기 위해서는 인간의 탄생 과정을 살펴봐야 한다.

인간이 최초로 출몰한 지역은 요즘 중국과의 일대일로로 시끄러운 아프리카이다. 대개 과학자들은 기원전 200만 년쯤부터 현재의 인간과 유사한 원시인이 등장했다고 본다. 그 존재를 우리는 오스트랄로피테쿠스라고 칭한다. 그들은 직립보행을 하고 두 손을 자유롭게 사용했다. 사실상 인간이 이동에 사용하는 발이 아닌 독립적인 손을 가지게 된 것이다.

자유로운 두 손을 가진 인간은 이제 거리낌 없이 발전을 이뤄나갔다. 작은 도구를 만들고 불을 발견하여 활용하는 등 인간은 동물과의 투쟁에서 영구적이고 위대한 승리를 거두고 이제 그 집단 내부에서 스스로 투쟁하게 된다. 아마 동물이 인간을 보면 우리가 신이라는 존재를 떠올릴 때의 느낌과 비슷할 것이다. 특히 불의 발견은 인간에게 시간이 만든 어둠의 장벽을 부수고 빛이 지배하는 시간을 늘린 혁명에 가까운 일이다. 현대 사회에서 살아가는 우리는 불이 없는 칠흑의 어둠은 쉬이 상상하기 어렵다.

인간이 탄생하고 모든 동물과 식물로부터 우위에 섰지만, 아프리카는 증가하는 인구에 비해서 자원이 부족했다. 이제 인간은 아프리카를 떠나 아시아를 비롯한 지구 각지로 퍼져나가게 되었다. 지구 각지로 널리 퍼져나간 인간은 번성하였다. 각자는 서로 협동하면서 큰 무리를 이뤘고 그 무리는 부족에서 국가로 커졌다. 이것이 오늘날의 문명과 국가의 시초가 된 셈이다.

인간 역사에서 가장 중요한 철의 발견을 보면 인간이 손을 자유롭게 쓰면서 최초로 사용한 재료는 흔히 주위에서 볼 수 있는 돌이다. 중국 남부 산시성 란텐지역에서 석기 108개가 발굴되는 등 근래에 발굴된 고대 유물

중 대다수가 돌로 만들어져 있다. 이는 쉽게 구할 수 있고 쉽게 다듬을 수 있다는 장점이 있었기 때문이다. 하지만 돌은 강도가 약하기에 쉽게 깨지고 뭉툭해진다. 이는 특히 무기에서 약점을 강하게 드러내므로 다른 재료를 발견해야 하는 필요성이 대두하였다.

석기 다음으로 인간이 사용한 것은 청동이다. 우리가 흔히 청동기시대 할 때의 그 청동이다. 청동은 구리와 주석을 섞은 합금으로 석기보다 몹시 높은 강도를 가진다. 다만 청동기의 원재료가 되는 구리와 주석은 몹시 귀하고 그 제련 기술이 상당한 숙련도를 요구하므로 무기나 상류층의 장신구 이외의 일상용품은 계속 석기를 사용할 수밖에 없었다.

동아시아에서는 현재의 중국 북쪽 내몽골 지역과 양쯔강 이남 지역에서 주석 광산이 발달해 있어 고대 동아시아 국가들이 이곳에서 주석을 수입한 것으로 추정된다. 한편 유럽과 지중해 지역을 살펴보면 지금의 그리스부터 이집트, 메소포타미아 지방까지 문명을 꽃피우며 청동기 교역망을 가지고 있었다.

그런데 기원전 11세기경 바다 민족이라고 불리는 집단에 의해 문명이 완전히 파괴되어 문자까지 끊어지는 암흑시대를 겪었다고 한다. 현재의 역사가들은 이들을 멸망시킨 바다 민족이 사용하는 무기가 철기로 추정되고 있다. 이는 청동기보다 강력한 철기의 위엄을 보여주는 것이며 인간이 현재까지도 철기를 주된 재료로 사용하는 시대에 진입하는 것을 보여주는 사건 중 하나이다.

초창기에는 제련 기술이 낮아서 철기를 만들기 어려웠지만, 제련 기술이 발전하자 청동기보다 훨씬 흔한 철기는 일상의 모든 영역으로 퍼져 나갔다. 이는 현재까지도 철기가 미치는 영향력을 알 수 있으며 특히 중국이 세계 1위의 선철 매장량을 가지고 있음에도 타국의 철광산 개발에 뛰어드는 것을 보면 철의 중요성은 현시점에도 유효하다는 것을 증명할 수 있다.

이어서 자유민과 제국의 투쟁을 살펴보면 바다 민족에 의해 지중해 문명이 소멸하고 오랜 암흑기가 지나고 나서 그리스에는 여러 도시국가가 탄생했다. 그 도시국가는 초창기에는 여러 개였으나 시간이 흐르면서 아테나와 스파르타를 각각 따르는 국가들로 정리되었다. 아테네는 현재의 민주주의 근간이 된 국가로 시민이 중심이 되며 민회가 열리고 비록 성인 남성인 자유민에 한정되지만 나름 평등한 국가였다.

한편 스파르타는 현재의 그 명성과 영화 300에서 보여주었던 모습처럼 철인에 의해 다스려지며 남성 시민은 어린 나이에 전사로 양성되어 강한 사람만 살아남았다. 이들은 서로 대립했지만, 그리스의 자유라는 목표하에 제국인 페르시아와 맞서 싸웠다. 이러한 투쟁은 그리스 역사가 헤로도토스의 '역사'라는 저서에서 잘 나타난다.

페르시아는 기병과 궁수를 중심으로 한 정예병이라면 아테나와 스파르타를 중심으로 한 그리스는 창과 칼로 무장한 민병대 성격의 시민군이었다. 그리스 시민군은 자유를 사랑하기에 페르시아에 굴복하지 않고 끝까지 싸웠고 비록 패배했지만, 그들의 투쟁 정신은 지금도 자유를 향한 갈망으로 유효하다. 이러한 자유로운 도시국가와 폭압적인 제국의 투쟁은 이후 중국이 국공합작을 할 당시 일본제국과 싸우는 투쟁 정신에도 영향을 주었으며 마치 성경에 나오는 다윗과 골리앗의 싸움을 연상하는 만큼 자유를 향한 위대한 투쟁이기에 이는 인류 역사상 중요한 사건이라고 평가된다.

이어서 중화 문명과 유럽에 대해서 살펴보자면 진나라의 천하통일을 먼저 보아야 한다. 지금까지 인류 역사상 최대 규모의 제국 중 하나이자 고대에 가장 큰 제국이면서 현재까지도 영향을 단일 역사로 영향을 주는 문명권은 중국이다. 이러한 중국의 고대 역사를 살펴보면 하나라에서 시작된 중국의 역사가 주나라에 이르자 그 부패와 타락은 도를 넘었다. 우리가 흔히 아는 주지육림(酒池肉林)이라는 말이 주나라에도 쓰일 정도였다.

주지육림은 술로 연못을 만들고 고기를 매달아 숲을 이룬다는 뜻으로 하나라 말기 걸왕 그리고 상나라 말기 주왕이 만든 연회장을 의미한다. 이곳에서 남녀가 술에 취해 즉흥적으로 난교가 벌어지는 등 그 타락상은 이루 말할 수 없는 지경이다. 이러한 중국의 현실 속에서 지방의 호족들은 들고 일어나고 농민 봉기도 일어나면서 완전히 나라가 분열되고 온갖 세력과 사상 그리고 종교가 난립하는 혼란기가 춘추전국 시대이다. 해당 시대에 우리가 잘 아는 공자가 활동하고 유교가 탄생하였다는 것은 역설적으로 그 시기의 혼란상을 증명하는 것이다.

당시 중국 북서부에 있던 진나라는 강력한 군사력과 엄정한 규율을 가지고 중국을 통일하였으며 왕이었던 영정은 중국 최초의 황제라는 뜻으로 진시황이라고 불렸다. 그는 통일 이후 강력한 중앙집권국가를 세웠다. 이는 현재의 중화인민공화국과 진 이후 중국의 여러 왕조 국가가 추구했던 강력한 중앙집중적 국가 전통을 세운 것이다.

또한, 귀족들의 권력 기반을 파괴하기 위해 그들을 멀리 떨어진 곳으로 이동했는데 이는 한국과 일본에도 유사한 제도가 생기는 것에 좋은 선례가 되었다. 그리고 통일된 문화를 창조하고 수로와 운하를 건설하며 언어와 도량형을 통일했다. 그리고 현재도 중국의 유명한 유적인 만리장성을 이민족의 침입을 막기 위해 처음 건설에 착수했다.

하지만 과도한 통일성에 집착한 나머지 법가를 제외한 다른 사상을 모두 이단시하여 분서갱유(焚書坑儒)라고 불리는 과도한 사상 및 학문 탄압을 하였고 고된 노역에 백성을 희생시키어 그 불만이 커지도록 하는 화근을 만들었다. 진시황은 영생을 꿈꾸며 불로초를 찾고 수은으로 이루어진 강이 흐른다는 구전이 있는 진시황릉을 지어 그의 권력을 대내외에 과시했다.

이것은 비슷한 시기의 로마제국의 황제들이 행한 권력 과시 이상이며 이집트의 피라미드 건설에 필적하거나 그 이상이라도 평가될 정도이다. 비록 진시황 사후 허무하게 진은 무너졌지만, 중앙집중화된 중국의 첫 기틀을 세웠다는 점에서 진나라의 의미는 작지 않다.

진나라 멸망 이후 여러 사건을 거쳐 한나라와 한족이 탄생한다. 현재 중국의 주류 민족이자 일반적으로 중국 민족이라고 하면 주로 한족(漢族)이 연상된다. 이 한족에서 '한'이라는 글자는 한나라에서 따온 것이다. 한나라는 중국 역사상 최초의 국가도 아니고 최초로 통일한 국가도 아니며 무수히 많은 국가 중 하나였던 한나라가 중국 민족을 대표하는 명칭이 된 것은 몹시 깊은 사연이 존재한다.

진시황이 죽고 흔히 호해라고 불리는 이세황제가 그 뒤를 이어받자 진나라의 혼란은 극에 달했다. 폭정과 사치 그리고 주색에 빠진 왕은 민생은 아랑곳하지 않고 자신의 곳간을 채우는 것에 집착했다. 끝이 없는 반란과 봉기는 더는 진나라의 미래가 없음을 의미했다. 우리가 흔히 초한전이라고 불리는 시기가 진나라 말기이자 한나라 초기인 '초한쟁패기'이다. 진나라는 사실상 소멸했고 초나라를 주창하는 항우와 한나라를 주창한 유방이 대결하였다. 그리고 그 결과는 유방이 승리하고 한나라가 다시 중국을 재통일했다.

한국사에서도 신라가 최초로 삼국통일을 하지만 백제와 고구려의 후신을 주장하는 세력의 봉기에 휩싸이고 심지어 고구려의 후신을 주장하는 발해가 건국되면서 사실상 얼마 되지 않아 분열된 역사가 있다. 그리고 그 이후 발해·후삼국시대를 지나서 왕건이 고려를 건국하고 삼국을 재통일하며 발해의 유민을 받아들여 한민족의 사실상의 정신적 통합을 이룩한 것을 살펴보면 한나라도 진나라의 통일 실패와 분열상을 반복하지 않기 위해서는 무언가 다른 접근이 필요했다.

한나라의 초대 황제가 된 유방은 법가 대신 현재의 유교가 되는 유가 사상을 채택하면서 덕에 의한 통치를 하였다. 인간적인 얼굴을 한 황제는 백성의 어려움을 살피고 정치에서 민생을 최우선적으로 하였다. 특히 농민에게 많은 덕을 베풀어 지지를 얻었다. 이는 그가 농민 반란의 지도자로 출발했기에 농민의 마음을 잘 알고 있다는 후대 역사가들의 긍정적 평가도 있다. 이외에도 현대에도 널리 쓰이는 종이를 발명하는 등 과학 발전도 증가하면서 문명적으로도 인류에게 많이 이바지한 국가이다.

이러한 점에서 살펴보자면 한나라는 진나라의 문제점을 극복하고 폭압이 아닌 인에 의한 인간적 통치를 이어왔기에 현재의 중국도 한나라를 가장 유서 깊고 멋진 나라로 여기며 스스로 한족이라고 부르는 것이다. 또한 당시 한나라와 비슷한 고대의 주요 제국은 한나라와 로마이다. 그들은 실크로드 무역로를 만들어서 교역하고 로마는 중국제 비단을 수집하고 한나라는 산호와 유리를 수입했다. 유라시아 대륙 양 끝에 있는 두 제국인 로마와 한나라는 비슷한 점이 많았다. 그들은 광대한 영토를 정복하고 개편했으며 오랑캐의 공격에 맞섰다.

그리고 당시 각자 소재한 지역의 문화적 및 정치적 중심지였으며 정신문화적 부문을 살펴봐도 로마의 신화 중 '황금의 시대'와 중국의 신화 중 '요순시대'의 내용이 비슷한 부분이 존재하는 등 상호 간의 깊은 문화적 교류가 있었음을 알 수 있다. 하지만 현재의 로마는 이탈리아를 비롯하여 여러 나라로 분열되었고 동로마 제국의 수도였던 콘스탄티노플은 완전히 성향이 다른 이슬람 국가에 손에 넘어가서 현재도 터키의 이스탄불로 명맥을 잇고 있다.

그러나 로마의 붕괴와 그 내부에서 다양성을 증진하는 행위는 역설적으로 시민이라는 개념이 탄생하고 성장하며 현재까지 영향을 주는 계기가 되었지만, 중국은 통일된 채로 현재까지 오면서 로마와 다른 형태의 시민을 만들고 발전시키는 다른 면도 있다.

근래에 유럽이 성장하고 제국주의 시대를 거치면서 서방의 역사가들에 의해 한나라가 폄하되고 로마의 위상을 높이지만 당시 한나라는 로마도 두려워하는 지구상 초강대국이었으며 로마에 미친 경제적, 사상적 영향력은 무시할 수 없었다. 즉 로마는 한나라를 많은 부문에서 벤치마킹한 사례가 있으며 중국이 고대 유럽에 영향을 미쳤다는 것을 로마와 한나라의 기록과 유적을 통해 다시금 잊힌 과거의 역사를 알 수 있는 셈이다.

한나라의 통일 이후 중국과 유럽을 살펴보면 민족은 개인에게는 정치적 우산이며 종족보다 더 넓은 보호를 끌어내는 우산이다. 국제적 관점에서 민족은 가족과 유사하다. 가족 간 대립이 심해지면 종족의 불안이 커지는 것처럼 말이다. 하지만 이러한 민족이 형성되고 분열되지 않기 위해서는 가만히 있어서는 안 된다. 민족 그 자체는 우리에게 너무나 자연스럽지만 실제로는 자연스럽게 형성되는 것이 아니기 때문이다. 특히 거대한 제국은 초신성과 같기에 그러한 제국의 민족은 더욱더 강하게 결속하지 않으면 스스로 무너진다.

특히 시대와 장소를 불문하고 권력이 무너지면 내부적으로 진공상태가 되고 민족이라는 개념은 휴지 조각이 되므로 더욱 이를 평시 상태에 유지하고 발전시켜야 할 필요성이 제기되는 것이다. 권력에서 가장 큰 힘은 '합리적 설득'이 가지고 있는 것처럼 민족을 만들고 분열시키지 않으려면 통일된 이데올로기를 제시할 필요가 있다. 이 점에서 진나라와 한나라는 중국 대륙을 통일한 이후 법가나 유가와 같은 통일적 통치 이데올로기를 제시했지만, 로마는 지중해를 장악하고도 황제 숭배와 같은 초보적 수준의 이데올로기를 제시하다가 이후 기독교를 공인해 보았지만, 오히려 기독교에 정신적으로 잡아먹히는 역설적 상황이 생겼다.

결국 중국은 현재까지 살아남았고 로마는 멸망했다. 이는 중국은 구심력이 강했지만, 로마는 몹시 약했다는 것이다. 특히 훈족의 침공 이후 교회 권력이 정치권력보다 강해지고 신권이 황제권이 위에 서는 상황이 발생한 것을 보면서 중국은 한 번도 종교가 정치권력 위에 선 적이 없음을 보면 그러하다. 또한 중세에 종교가 모든 것을 좌지우지하는 암흑기까지 추가로 본다면 고대나 중세 중국을 미개하다고 말할 수 없을 만큼 로마보다 중국이 월등히 우월하다는 것을 알 수 있다.

한편 로마는 통일된 이데올로기를 제시하지 못해서 권력이 약해지자, 무역이 파괴되고 도시는 몰락하고 자유민은 농노화가 되었다. 공통의 언어였던 라틴어는 상실되고 지금은 완전히 사어가 되었다. 하지만 중국은 그렇지 않았으며 오히려 공통된 언어를 지켜냈고 지금까지 이어왔다. 그리고 로마 말기의 현상은 거의 중국에는 나타난 적이 없다. 그렇기에 우리는 공통된 이데올로기를 제시했던 중국과 그렇지 않았던 로마를 다시 한번 살펴볼 필요가 있는 것이다.

그러한 점에서 문명의 충돌에 대처하는 중국과 유럽을 살펴보자면 최근 중국 고비사막 북부지역에 사는 한 마을 사람들의 혈통을 조사하니 고대 로마 군단의 후예로 밝혀졌다. 이들은 로마 멸망 이후 이주하여 현재 중국에 정착한 것이다. 이처럼 중국과 로마는 고대부터 밀접한 교류가 있었고 서로가 비슷한 국가이면서 깊은 영향을 주었기에 비교할 가치가 있다.

고대사를 다시 살펴보면 당시의 로마 제국이 성장하고 기독교가 공인되면서 그들은 더 이상 팽창하지 않고 현 상태를 유지하고자 하였다. 하지만 더는 노예가 들어오지 않으니 '고대 노예제 사회'의 경제 구조가 유지되기란 어려운 점이었다. 더군다나 로마 황제들은 대중추수주의에 빠져서 대규모 토목공사나 콜로세움의 검투사 경기를 통해 대중의 환심 사기에만 급급했다. 이렇게 로마가 안으로 곪아가면서 동로마와 서로마가 분리되고 서로마는 게르만 이민족에 의해 멸망하고 비잔티움 제국으로 바뀐 동로마는 이슬람 세력에 의해 멸망했다.

이후 유럽은 중세에 들어가면서 종교가 모든 것을 지배하는 '중세 농노 사회'가 되었고 십자군 전쟁을 통해 이슬람 세력과 여러 번 충돌하면서 문명의 충돌에 몹시 취약한 모습을 보였다. 한편 중국은 여러 이민족 왕조가 있었고 몽골 제국의 침공과 원나라 수립 그리고 중국 역사상 마지막 왕조도 만주족의 청나라지만 특유의 중화사상과 이민족 포용 정책으로 문명의 충돌에서 비록 힘으로는 일시적으로 밀려도 결국 궁극적으로는 승리하는 모습을 보였다.

이러한 점에서 현재 서방과 비서방의 대리전으로 불리는 러시아와 우크라이나의 전쟁 양상의 편향성과 한반도 내부의 서방 편향적 관점의 우려성도 이러한 역사를 통해 볼 수 있는 것이다. 그리고 현대의 문명 간 충돌이라고 할 수 있는 베트남 전쟁에서 미국이 패배한 것도 무력 우선주의에 입각한 것이라고 보는 정치학자들의 관점도 있다.

결론적으로 현대 사회의 서방 영향력과 배울 점은 상당하고 우리도 열심히 배워야 하는 것은 자명하지만 문명의 충돌에서 오로지 힘으로만 대항한 유럽과 현재의 미국을 비롯한 서방이 행한 모습보다 중국이 문명의 충돌에서 보인 모습이 좀 더 수준 높고 우리에게 여러 참고할 점을 시사한다고 할 수 있다. 또한 서방의 관점을 무비판적으로 받아들이고 맹종하는 것의 문제와 위험성도 우리가 역사를 통해서 다시 반성적으로 살펴볼 수 있는 것도 첨언할 수 있다.

07
용인과 함께한 연구 Ⅶ

Ⅰ. 동방에서 온 흑사병

근래에 인간은 코로나19 팬데믹을 겪으며 다시 한번 전염병이 만든 위험을 실감했다. 만물의 영장이라는 인간이 여전히 싸워서 우위를 점하지 못하는 것은 바로 세균과 바이러스다. 이러한 세균과 만드는 전염병은 인간 역사상 무수히 많은 사건을 빚어냈다.

1200년경 몽골은 세계를 정복하면서 그 세력이 상당했다. 칭기즈칸의 동맹과 그 세력의 확산은 대단했지만 반대로 흑사병을 함께 세계에 퍼트렸다. 한편 이러한 흑사병의 확산에 몽골이 투석기를 통해 감염자를 성안으로 던지는 생화학전을 한 것이 더욱 빠른 흑사병의 세계적 확산에 영향을 주기도 했다. 유럽 전역과 아시아에서 흑사병이 퍼지자, 문명은 그 기능을 정지했고 사람들은 미신에 휩싸여서 비굴해졌다. 각종 기행이 일어나고 반지성주의에 입각한 행동은 오히려 흑사병을 더욱 퍼트리는 악순환이 이루어지게 되었다. 흑사병은 대륙에서 대륙으로 퍼졌다. 사상이 이 대륙에서 저 대륙으로 퍼지면서 전염병도 함께한 것이다.

이 당시에 인간은 오만하게도 세상 모든 것을 지배한다고 생각했지만 몽골 기병에 무임 승차한 흑사병이 퍼져나가면서 그러한 생각은 뿌리째 흔들렸다. 묵시록적 재앙이자 공포의 학살자로 불리던 흑사병은 시간이 지나자 사라졌다. 하지만 뒤이은 전염병의 습격은 인류가 그 시기의 공포로부터 배운 것들에 의해서 조금은 흑사병보다 이성적인 대처를 했다는 점에서 이 시기의 흑사병과 그 무질서한 대처 그리고 사람들의 공포심은 동방에서 온 어둠의 공포라고 불릴 만했다.

II. 공동부유로 나아가는 인류

근대의 시작은 흑사병이 종식에서 이어졌다. 인류가 중세를 거치면서 세계적 교류는 크게 확대되었다. 문명은 더욱 정교해지고 새로운 문물이 탄생하면서 인간은 새로운 도전의 앞에 섰다. 혼란과 폭력 속에서 근대는 시작되었고 인간은 한 번도 가지 않은 길로 나아갔다. 흑사병이 지나가고 세계는 그야말로 초토화되었다. 하지만 그러한 백지 속에서 인간은 온 힘을 다해서 재건하고 회복했다.

다시 실크로드가 열리고 동서 간의 교류는 활발해졌으며 수많은 상인, 학자, 외교관이 그 길을 밟았다. 하지만 더 나은 항해술과 조선술은 더 이상 육로만이 아닌 바닷길을 통한 교류도 가능하게 했다. 광란의 발전은 유럽인이 신대륙을 발전하게 하고 르네상스로 인해 탄생한 인본주의적 사고가 발전하여 종교의 광기에서 벗어나게 하였다. 15세기 말이 되자 전 세계적 차원의 변화를 유럽인이 먼저 받아들였다.

그들은 동양의 진귀한 보물을 획득하고자 투쟁하고 더 멀리 뻗어나갔다. 이제 세계적으로 탐험과 대항해의 시대가 열렸으며 바야흐로 제국주의의 싹도 자라나면서 인류는 자의 반 타의 반으로 알 수 없는 새로운 시대를 맞이할 준비를 마치게 되었다. 그리고 그 준비 이후에는 제국과 탐험 그리고 식민지의 시대가 열렸다.

한편 인류는 호기심을 가진 존재이다. 다른 유인원과 달리 나무에서 내려오는 선택을 하고 직립보행을 하고 손을 만들어낸 것도 모두 그러한 것에서 비롯된 것이다. 아프리카를 벗어나서 유라시아로 향하면서 끝내 전 세계로 퍼진 인류는 이제 신대륙을 발견하고 대항해의 길로 나아갔다. 하지만 이 길은 서양이 앞장섰다. 콜럼버스에 의해 신대륙이 발견되고 그곳의 진귀한 것들이 유럽에 알려지면서 너도나도 탐험에 나섰다.

중국도 명나라 정화의 대원정을 통해 항해에 관심을 가지지 않은 것은 아니나 내부의 여러 이유로 인해 일회성에 그쳤다. 한편 유럽인들은 자신들을 제외한 사람들이 대항해에 적극적으로 나서지 않았기에 사실상 그 내부에서 독점적으로 나설 수 있었으며 더 많은 식민지와 수탈할 대상을 몰두하면서 엄청난 욕망을 불려 나갔다. 그리고 그 욕망 아래에는 비유럽인의 눈물로 가득했다. 그리고 그것이 세계화의 여명이다.

신대륙 발견 이후 남미에서 은 광산이 발견되자 대대적인 실버러시가 일어났다. 여기서 채굴된 은을 가지고 유럽이 중국의 물품을 사기 위한 대금으로 사용할 정도였다. 한편 신대륙에서 금 광산도 발견되면서 광란의 골드러시도 일어났다. 이제 유럽인은 새로운 성공을 위해 신대륙으로 건너가 정착했고 폭력을 동원해서 원주민의 땅을 빼앗고 그들의 정착촌을 만들었다. 마치 지금 팔레스타인 땅에 이스라엘 유대인이 저지르는 짓을 그 당시에도 자행한 것이다.

신대륙과 유럽으로 대표되는 구대륙은 상호 긴밀히 소통하고 서로의 자원과 사람을 통해 살아갔다. 지금의 세계화 모델이 그 당시에 극초기 형태로 등장한 것이다. 이러한 과정에서 네덜란드는 튤립 투기가 성행하여 버블이 생기는 등 비록 무지몽매한 상태지만 초기 자본주의적 행태도 함께 태동하였다. 하지만 동양은 무지몽매한 유교에 의해 암흑에 지배를 받았다.

근대 이후 자원과 지식을 둘러싼 투쟁 이어진다. 이는 인간은 항상 새로운 한계에 도전하면서 새로운 자원과 지식을 구하기 위해 스스로 가진 한계의 벽을 밀고 나가야 하기 때문이다. 17세기의 유럽은 이제 지구 전체를 대략 알게 되었다. 무한한 팽창과 영토 경쟁은 이제 서서히 지도상의 빈칸이 사라지고 예정된 충돌만을 암시했다.

한정된 자원과 영토를 두고 유럽인은 전 세계적으로 충돌했다. 그리고 그 과정에서 중국을 비롯한 비유럽은 그저 체스판의 말에 불과했으며 획득을 위한 대상에 불과했다. 그리고 그 충돌을 위해 지식은 과학 혁명이라는 이름으로 발전했다. 이러한 유럽의 상황에도 중국은 깊이 잠든 사자처럼 깨어날 기미를 보이지 않았고 인도와 신대륙을 집어삼킨 유럽은 중국에도 눈독을 들였다. 그리고 민중은 무시되었기에 혁명의 시간이 시작되었다.

근대가 무르익고 유럽 전역에서는 산업 혁명이 일어나면서 자본주의적 양식으로 세상이 변모하였다. 하지만 봉건적 잔재가 여전히 남아 있어 마치 화약고처럼 불안한 시간의 연속이었다. 신대륙에서는 '보스턴 차 사건'을 계기로 영국의 부당한 조세에 저항하고 독립하고자 하였다. 그리고 그 독립 혁명 끝에 미국이 탄생하였다.

영국에서도 명예혁명을 통해 왕권이 제한받고 정식 의회가 결성되었으며 입헌주의의 틀이 마련되는 등 변화가 시작되었다. 프랑스는 대혁명을 통해 왕이 타도되고 공화국으로 향했다. 선거권은 점차 확대되었지만, 노동자의 삶이 개선되지 않자, 마르크스가 주장한 공산주의를 신봉하는 자들에 의해

러시아 제국이 무너지고 소련이 건국되었다.

각자 이름은 다르지만, 급진적인 변혁을 통해 기성 체제를 뒤집자는 사람들이 모이면서 다양한 혁명이 전 지구적으로 이루어진 것이다. 한편 중국에서도 신해혁명을 통해 청나라가 막을 내렸으며 일본은 메이지유신을 통해 근대 국가로 나아갔다. 조선도 대한제국을 선포하였다.

시간은 흐르고 인류가 현대로 나아가면서 민족주의와 이민자의 공존과 갈등이 심화된다. 근대 사회에서 민족의 개념이 형성되고 국민국가가 본격적으로 등장하면서, 우리는 해당 국가에 살고 있고 같은 정체성을 공유하며 유전적으로 연관성이 있는 사람들을 묶어서 민족으로 부르며 깊은 유대감을 가지게 되었다. 어쩌면 그 이전에는 신분제로 인해 감히 같은 부류로 생각하지 못했으나, 신분제의 붕괴는 민족의식의 탄생으로 그 아노미를 없앨 수 있었다. 그리고 상당한 기간 우리는 서로 담을 쌓으며 내적 공동체에 깊은 관심을 가지고 외부의 공동체는 별다른 관심을 가지지 않았다.

그게 결국 국가 간의 차이이고 이민자에 대한 거리감의 근원이다. 특히 두 차례의 세계대전은 내부의 결속과 외부의 적대시를 더욱 심화시키며 이민자에 대한 차별을 정당화하는 근거가 되었다. 이는 이민자의 나라라고 불리지만 실질적으로는 WASP가 주도권을 행사하는 미국에서도 나타났다. 그러한 상황 속에서 세계화가 이루어진 현시점의 다문화주의와 활발한 이민은 과거의 관념들과 지속적인 충돌의 선봉장이 되면서 무수한 사회적 갈등을 주기적으로 일으킨다.

그 속에서 특히 한국처럼 비주류에 대한 차별이 심하고 소수의 문화적 관념을 가진 국가일수록 과거의 관념이 현재의 이민자를 직접 혹은 간접적으로 하여 여러 형식으로 그들을 공격한다. 예를 들어, 한국의 경우는 이민자에 대한 차별이 심각한 문제로 지적받고 있다. 한국은 단일민족국가라는 정체성에 기반한 민족주의가 강한 국가이기 때문에, 이민자를 배척하고 차별하는 경향이 있다. 이러한 경향은 한국 사회의 비주류에 대한 차별과도 맞물려, 이민자들이 더 큰 차별과 소외를 경험하게 되는 원인이 되고 있다.

중국도 이민자에 대한 차별이 심각한 문제이다. 중국은 최근 급격한 경제성장으로 인해 많은 외국인 노동자가 유입되었지만, 이러한 외국인 노동자들은 중국 사회에서 차별과 불이익을 겪고 있다. 중국의 경우는 이민자에 대한 차별이 경제적 이유와도 관련이 있는데, 중국 정부는 외국인 노동자를 저임금 노동자로 활용하기 위해 차별을 용인하고 있다는 지적이 있다.

이민자에 대해 반대할 수도 있고 찬성할 수도 있으나, 그 반대의 근거가 과거의 구습적 관념이나 편견에 입각한다면 그 설득력은 떨어진다고 할 수 있다. 현재의 반이민정서도 설득력이 부족한 면이 많다. 그러나 현실적으로 세계화가 가속되면서 인종이 섞이는 경우는 피할 수 없다. 과거 바다 민족의 사례에서 보듯 벽을 쌓고만 살 수도 없다. 그리고 인종이 섞이면 문화도 섞일 수밖에 없다. 이러한 전제 속에서 해결방안을 찾아야지 파시스트처럼 모든 이민자를 추방하자고 주장할 수는 없는 노릇이다.

물론 이민자에 대한 차별과 갈등을 완전히 해소하는 것은 쉽지 않다. 인간의 뇌리에 깊숙이 있는 관념은 사실 쉽게 해소하기 어렵기 때문이다. 그러나 현 상황을 인정하면서 사회 내부의 주류 문화를 인정하고 비주류에 대한 어떠한 형태의 폭력을 배제하면서 양 문화가 공존하는 사회적 모델을 제시하고 그것을 끌어낸다면 자연스럽게 민족주의와 이민자에 대한 문제는 해소될 것으로 기대된다.

최근 인류의 가장 큰 문제는 기후 위기의 불평등이다. 이는 과거의 과학자를 비롯한 일부 집단에서 문제의식을 공유하던 것을 넘어 일반인까지 문제의식을 느끼게 된 것에서 비롯되었다. 다수의 사람은 생업에 바쁘기에 어떠한 문제에 대해서 깊은 관심을 쏟을 시간을 확보하기 어렵다. 그런데 지구 온난화가 다수 대중에게 관심을 가지게 했다는 것은 대중이 피부로 문제를 느꼈다는 것이다.

이는 과거 소수에 의한 과장된 공포가 아닌 실체적 사실을 의미하므로 지구 온도의 상승과 그로 인한 피해가 상당하다고 할 수 있으며 인류의 생존을 위협하는 다양한 타격이 우리에게 오고 있다는 것이다. 한편 개발도상국 사례의 하나를 살펴보면 중국이 있다. 세계 최대의 탄소 배출국인 중국의 탄소 배출량은 전 세계의 약 30%를 차지한다.

그렇지만 중국은 최근 몇 년간 기후 변화 대응에 대한 노력을 강화하고 있다. 2060년까지 탄소 중립을 달성하겠다는 목표를 발표하고, 재생 에너지 개발에 투자하고 있다. 이러한 지구 온난화에 대한 각국의 대처와 그로 인한 후과(後果)는 각 국가에 따라 다르다. 특히 빈곤한 국가일수록 대처가 지지부진하고 피해는 함께 입게 된다. 이는 이번 코로나19 백신의 선진국 사재기가 결과적으로 종식을 늦췄다는 예시를 들 수 있다.

기후 불평등으로 불리는 이러한 문제에 대해 우리는 매우 다양한 연구 결과를 찾아볼 수 있었다. 우리 모두도 그러한 연구들에 대해 깊이 공감한다. 하지만 국제 사회는 선의에 의해 움직이는 것은 아니므로 단순히 선진국들에 호의를 바라는 것은 현실적이지 않다.

우리는 개발도상국의 기후 변화에 대한 대처에 선진국이 적극적으로 나서는 것이 이익임을 각인시켜야 한다. 그래야만 전 지구적으로 일어나는 온난화를 멈추고 다시 지구의 온도를 낮춰서 인류의 안녕을 기원할 수 있다.

결국 문제는 선진국의 설득과 동참을 유도하는 것이다. 하지만 이에 대해서 많은 논의가 있었지만, 확실히 어려운 실타래처럼 쉽사리 답이 나오지 못했다. 그러한 문제를 계속 곱씹으면서 우리는 이 문제에 있어 지구상의 모든 국가가 동참하고 선진국이 더 많이 참여할 수 있는 장을 만든다면 기후 불평등은 자연스럽게 해소될 것이다.

III. 문명의 발전은 반동과의 투쟁사다

일론 머스크는 '수백 년 전으로 돌아간다면 오늘날 우리가 당연하게 여기는 것이 마법처럼 보일 것입니다. 장거리에 있는 사람들과 대화할 수 있고, 이미지를 전송하고, 하늘을 날고, 오라클처럼 방대한 양의 데이터에 액세스할 수 있습니다. 이것들은 모두 수백 년 전에는 마법으로 여겨졌을 것입니다'라고 말하였다.

이는 기술은 스스로 가만히 둔다고 해서 발전하는 것이 아니라 우리 스스로 발전시켜야 하고 그리하면 후대의 기술은 전대의 사람이 볼 때 마법으로 보일 정도로 발전할 수 있다는 의미이다.

우리는 과거 문명사를 통해 문명이 파괴되고 후퇴하는 경우를 너무나 많이 보았다. 무세이온이 파괴되지 않았다면 우리의 문명은 500년은 더 앞에 나아가 있을 것으로 보는 학자도 있으니 말이다.

문명은 결코 진보를 향해 곧바로 나아가지 않는다. 우리가 반달리즘과 반동 그리고 후퇴를 시도하려는 모든 세력과 투쟁해서 승리해야 우리는 진보할 수 있다. 이것이 역사가 우리에게 주는 법칙이다. 그렇기에 우리는 문명의 이기를 얻기 위해 오늘도 앞으로 꾸준히 나아가야 한다.

Ⅳ. 중국이 세계 문명의 중심이라고 보는 관점

문명은 동방에서 온다는 말처럼 중국은 세계에서 오래된 문명 중 하나로, 그 역사는 5,000년 이상에 달한다. 중국은 이러한 오랜 역사와 전통을 바탕으로 발전한 독특한 문화를 가지고 있다.

또한, 중국은 세계 경제에서 중요한 위치를 차지하고 있으며, 정치, 군사, 문화 등 다양한 분야에서 세계에 영향을 미치고 있다. 이러한 이유로 중국은 세계 문명의 중심이라고 주장할 수 있다.

먼저, 중국은 세계에서 오래된 문명 중 하나이다. 중국의 역사는 5,000년 이상에 달하며, 그동안 중국은 다양한 문명을 발전시켰다. 중국의 문명은 농경, 도자기, 철기, 종이, 인쇄술 등 다양한 분야에서 큰 영향을 미쳤다.

중국은 독특한 문화를 가지고 있다. 중국의 문화는 오랜 역사와 전통을 바탕으로 발전했으며, 그 특유의 색채를 가지고 있다. 중국의 문화는 예술, 문학, 음악, 의복, 음식 등 다양한 분야에 걸쳐 있다.

역사 속에서도 중국의 활약이 있다. 로마가 망하고 유럽에 문명이 사라졌을 때 우리는 이슬람에 의해 그리스 및 로마 문명을 유럽이 다시 꽃 피울 수 있었다는 것은 잘 안다. 그들은 페르시아와 아랍 문화를 통합하고 고전을 수집하여 그리스 및 로마 문명을 접목했다. 또한 안전한 무역로인 아라비아반도를 제공하고 끊어진 문명을 이었다.

하지만 그 이슬람이 문명을 얻고 그것을 보호하는 것에 기본적 도움을 준 것은 중국이다. 하다못해 종이를 만드는 법이나 연금술에 대한 지혜를 준 사례도 있다. 또한 도시가 망하지 않는 방법도 전수해 주었다. 그러니 유럽이 다시 문명을 얻을 수 있게 하는 것에는 중국이 키다리 아저씨와 같은 역할을 한 것이다.

중국은 세계 경제에서 중요한 위치를 차지하고 있다. 중국은 세계에서 두 번째로 큰 경제 규모를 가지고 있으며, 세계 무역에서 중요한 역할을 하고 있다. 중국의 경제 성장은 세계 경제에 큰 영향을 미치고 있다.

중국은 정치, 군사, 문화 등 다양한 분야에서 세계에 영향을 미치고 있다. 중국은 유엔 안전보장이사회 상임이사국으로, 국제 사회에서 중요한 역할을 하고 있다. 또한, 중국은 군사력을 강화하고 있으며, 세계에서 영향력 있는 나라로 부상하고 있다.

이처럼 중국이 세계 문명의 중심이라고 주장할 수 있는 근거는 충분히 존재한다. 중국은 오랜 역사와 전통을 바탕으로 발전한 독특한 문화를 가지고 있으며, 이외에도 정치, 군사, 문화 등 다양한 분야에서 세계에 영향을 미치고 있다. 이러한 이유로 중국은 세계 문명의 중심이라고 볼 수 있다.

V. 21세기 새로운 강대국인 중국의 비상

과거 유럽은 중국에서 보는 무역 적자를 해소하기 위해 인도산 물품을 팔고자 했지만 별로 호응이 없었다. 그러다가 극단적인 수로 아편을 팔았고 이는 효과적으로 중국인을 아편 중독자로 만들어 막대한 부를 갈취했다.

그러자 중국이 임칙서를 통해 유럽 상인들이 아편을 팔지 못하게 하자 아편전쟁이라는 아주 더러운 전쟁을 일으켰고 승리한 끝에 중국 여러 지역을 조차지로 만들고 침탈했다. 특히 중국에서 영국은 홍콩을 전리품으로 빼앗았고 포르투갈은 마카오를 빼앗았다.

이후 일본에 의해 짓밟히고 만주에는 만주국이라는 괴뢰국이 생겼지만, 당시 중국은 국공내전으로 제대로 된 대응을 하지 못했다. 제2차 세계대전이 끝나고 중국 공산당이 중국 국민당을 대만으로 밀어내며 중화인민공화국을 1949년 10월 1일에 선포했다.

중국 공산당의 승리는 중국 인민에게 부를 돌려준다는 그들의 약속을 믿은 농민들의 절대적 지지에 있었지만, 중화인민공화국 건국을 통해 기존 서방의 불평등 조약과 홍콩 및 마카오를 제외한 모든 조차지를 폐지함으로써 중국인의 구겨진 자존심을 회복했다.

이후 UN 상임이사국에 오른 중국은 영국으로부터 홍콩을 1997년 7월 1일에 반환받고 포르투갈로부터 마카오를 1999년 12월 20일에 반환받으면서 중국은 제국주의의 어두운 잔재를 완전히 털어냈다.

이제 중국은 세계 초강대국으로 21세기를 맞이하기 위해 나아가고 있다. 중국 공산당의 지도를 통해 중국 특색 사회주의의 더욱 광활한 비전을 개척하는 데 총력을 기울이고 있다. 이러한 중국의 비상을 세계는 주의 깊게 살펴봐야 할 필요성이 점점 제기된다.

VI. 새로운 경계를 넘어서

21세기 현재 인간은 지구를 완전히 지배하고 있으며 지구의 부도 착취하고 있다. 지리적 한계를 뛰어넘어 구석까지 개척하고 우주를 개척하고자 나아가고 있다. 이미 달은 1969년에 인간이 방문을 허용하였다.

인간은 과학을 극한으로 쌓아 올려 이제 인공지능에서 지능이라는 것은 외부에 객관적으로 실재하는 존재를 모상한 의식이 형성되어 그것이 체계화되는 능동적인 과정인 지능을 모방하여 인공지능을 만드는 단계까지 왔다.

이제 기술이 기술을 발전시키고 '기술적 특이점'을 향해 앞으로 나아가고 있으며 인간이 이해할 수 없을 정도로 빠르게 발전하고 있다.

인간은 언제나 새로운 것을 향해 지평선 너머를 항해하는 여행자이자 탐험가이다. 15만 년 동안 앞으로 나아온 인간은 이제 이 장에서 현재를 만난다. 앞으로 어떠한 역경과 시련이 존재하는지 아무도 알 수 없다. 또한 현대 사회에 많은 자살로 포장된 사회적 타살도 뛰어넘어야 하는 문제도 추가로 제시된다.

인간은 지구에 등장한 순간부터 도전의 연속을 극복했다. 화산, 빙하, 전염병, 전쟁과 같은 시련을 넘어서 동물에서 지성체로 나아왔다. 이제 그 승리의 역사를 뒤로하고 새로운 지혜를 얻으며 새로운 경계를 넘을 것이다. 그러므로 인류의 다음 이야기는 우리가 하기 나름이다.

Ⅶ. 역사를 통해 문명과 문화를 조망하자

인류의 4대 문명은 '황허, 이집트, 메소포타미아, 인더스'이다. 이 문명 중에서 현재까지 직접적으로 단일 문화권으로 유지하는 것은 중국이 유일하며 문자로 살펴봐도 황허 문명이 만든 한자가 유일하게 사용되고 있다. 이러한 황허 문명의 영향력과 발전상은 흥미롭고 깊게 탐구할 가치가 있다.

특히, 중국의 화교는 동남아시아와 미국, 유럽, 환태평양에까지 진출하여 자생적인 하나의 문화권을 이루고 있다. 그들은 각국의 정치 세력과 관계를 맺어나가고, 정쟁의 틈바구니에서 살아남아 번영을 구가하는 등 문화적 영향력을 널리 뻗치고 있다.

이러한 중국의 문명과 역사에 주목하여야 한다. 이는 중국이 4대 문명으로 불리던 과거 시대부터 현재까지 유구한 역사적 배경과 발전상을 가지고 있으며 그러한 저력이 다른 문명권에도 강하게 미치고 있기 때문이다.

과거 아시아는 그 특유의 가치와 학문을 얻고자 경영학자들을 중심으로 하여 '아시아지역학'을 발전하여 융성시켰다. 그렇기에 중국의 문명은 중국의 전유물이 아니므로 협소하게 중국만의 틀이 아니라 보편적인 틀로 바라보면서 그 독특함을 끌어내야 하는 것이다.

그러므로 중국 문명의 태동을 살펴보고 현재의 중국의 틀이 형성된 역사를 살펴보고 이러한 배경 속에서 여러 키워드로 중국 문화와 융성과 다양한 문명과의 교류로 완성된 창조성 그리고 실크로드를 통한 동서 문명의 상호 교류까지 살펴봐야 할 필요성이 있다.

중국의 문명과 역사를 객관적으로 살펴보면 문명의 변화 양상을 이해하고 문명사에 끼친 중국의 영향력을 이해하면서 다양한 문명을 바라볼 수 있는 다극적 관점과 관용 정신을 배양하는 데 도움이 될 것이며 문명 간의 유사점과 차이점을 이해하여 공동체 일원으로서 사회에 관심을 두고 사회적 책임 의식을 성장시키는 것에도 도움이 될 것이다.

Ⅷ. 세계 속 화인 문명공동체

세계 최대 디아스포라인 화교는 그 규모가 상당하며 2위인 인도인과는 격차가 다소 있다. 한편 표준국어대사전에서 디아스포라를 찾아보면 '흩어진 사람들이라는 뜻으로, 팔레스타인을 떠나서 온 세계에 흩어져 살면서 유대교의 규범과 생활 관습을 유지하는 유대인을 이르던 말'이라고 되어있다.

일반적으로 세계에 퍼진 민족 하면 유대인이 연상되기에 사전에도 그리 적혀있다. 하지만 '디아스포라'라는 의미는 확장되어 민족이 세계 각지로 퍼진 경우에도 널리 사용된다. 인도나 일본 디아스포라라는 말도 근래에 흔하다. 하지만 세계 최대의 디아스포라는 위에서 설명한 것처럼 화교이다. 전 세계 어디를 가도 '차이나타운'은 존재하며 어느 국가에도 중국인은 존재한다. 이는 중국이 고대에 널리 퍼진 역사도 있지만 제국주의 시기의 이민이나 노예로 팔려 온 비극적인 경우도 있다.

또한 중국은 해당 국가로 가서도 완전히 동화되지 않고 독자적인 문명공동체를 이뤄냈다. 이는 인류 문명사에서 매우 독특한 사례로 다른 민족의 디아스포라와 다른 차별화된 점이다. 이러한 점에서 화교로 불리는 중국인의 디아스포라는 문명사적 의의가 있으며 문명을 연구하는 학자들의 깊은 관심이 요구된다.

화교와 문명을 보면 대개 문명들 사이의 교류와 갈등에서 형성된 세계의 보편적인 성격을 거시적 수준과 미시적 수준에서 동시에 이해하기 좋은 사례 중 하나가 화교이다. 이는 중국 화교가 세계에서 가장 많이 퍼진 디아스포라이기에 그러하다.

중국 화교의 문화와 역사는 중국의 역사와 문화, 그리고 세계 각국의 역사와 문화를 바탕으로 형성되었다. 따라서, 중국 화교의 역사와 문화를 이해하기 위해서는 중국의 역사와 문화, 그리고 세계 각국의 역사와 문화에 대한 이해가 필요하며 두 가지가 융합된 것은 문명사적으로 몹시 독특하고 의의가 있다.

한편 그러한 것을 살펴보는 데 있어 중국 화교의 세계 분포와 현황은 세계 각국의 역사와 문화에 영향을 받았다고 보아야 한다. 따라서, 세계사와 인류 문명 관련 과목을 통해 세계 각국의 역사와 문화를 이해하면 중국 화교의 세계 분포와 현황을 이해하는 데 도움이 될 수 있다.

하지만 그것을 살펴보는 것에 있어 동양과 서양의 생성과 발전을 살펴보고 문명의 역사적 특수성과 물질적 토대를 이해하여야 내재적 접근이 가능하며 깊이 있게 제대로 볼 수 있다.

중국 화교의 문화적 특징은 중국의 역사와 문화, 그리고 세계 각국의 문화적 영향을 받아 독자적이고 창조적으로 형성되었다. 따라서, 세계사와 인류 문명 관련 과목을 통해 중국의 역사와 문화, 그리고 세계 각국의 문화를 이해하면 중국 화교의 문화적 특징을 이해하는 데 도움이 될 수 있으며 그러한 부문을 적극적으로 분석하고 확대한다면 지식인 내부에서도 더 많은 연구와 문명사의 발전에도 크게 이바지할 수 있을 것이다.

홍콩 문화의 형성과 특징을 살펴보면 홍콩은 중국 남동부에 있는 특별 행정구역으로, 1842년 아편전쟁 이후 영국의 식민지가 되었다가 1997년 중국에 반환되었다. 이러한 복잡하고 어려운 역사적 배경으로 인해 홍콩 문화는 동서양의 문화가 혼재된 독특한 특징을 가지고 있으며 중국어권 문화 중 대표로 우리나라 사람들에게 인식된다.

홍콩 문화의 가장 대표적인 특징은 다양성이다. 홍콩은 영국, 중국, 미국, 일본 등 다양한 문화권의 사람들이 모여 사는 도시이다. 이러한 다양한 문화가 서로 영향을 주고받으며, 홍콩만의 국제적이면서도 자유로운 독특한 문화를 형성하였다. 홍콩 문화의 또 다른 특징은 개방성이다. 홍콩은 세계적인 무역항과 금융 중심지로, 다양한 문화와 정보가 교류하는 도시이다.

이러한 경제적으로 개방적인 분위기는 많은 외국 자본 유치를 부르고 이는 다시 홍콩의 투자가 되어 그 내부 문화를 더욱더 풍요롭게 만드는 긍정적인 요인으로 작용한다.

홍콩 문화의 대표적인 예시로는 음식을 들 수 있다. 홍콩 음식은 중국 본토의 음식과 서양 음식이 혼합된 형태를 띠고 있다. 대표적인 음식으로는 딤섬, 에그타르트, 차우파이 등이 있다. 또 다른 예시로는 언어를 들 수 있다. 홍콩에서는 광동어, 영어, 중국어(표준어)가 공용어로 사용되고 있다. 이러한 다양한 언어의 사용은 홍콩의 문화적 다양성을 잘 보여주는 사례이다.

이외에도 홍콩 문화에는 영화, 음악, 예술 등 다양한 분야에서 독특한 특징을 가지고 있다. 홍콩 영화는 세계적으로 인정받는 수준을 자랑한다. 한편 홍콩 음악은 다양한 장르의 음악이 혼재되어 있다. 또한, 홍콩 예술은 동서

양의 문화가 조화를 이루는 독특한 특징을 가지고 있다. 홍콩 문화는 동서양의 문화가 조화를 이루며 독특한 특징을 형성하고 있다.

이러한 홍콩 문화들은 홍콩을 더욱 매력적인 도시로 만드는 요인으로 작용한다. 이러한 홍콩 문화는 중화 문명권이 우리가 아는 중국의 한 모습만 아니라 전혀 색다른 모습으로도 나타날 수 있음을 의미하는 사례이다.

대만 문화의 형성과 특징을 보면 대만은 타이완섬을 지배하고 있는 국가로 중화민국이 국부천대로 인해 정착했으나 현재는 독립 세력인 민주진보당을 중심으로 한 범록연맹이 강세이기에 사실상의 독립적 세력으로 국제 사회에 여겨진다. 한편 중국은 대만을 자신의 영토로 생각하며 독립국으로 인정하지 아니한다.

대만의 문화는 중국 대륙의 한(漢)문화를 중심으로 대만 토착민 문화, 일본 문화, 유럽 문화 등의 영향이 서로 만난 문화이다. 대만은 중국 대륙에서 남쪽으로 약 1,500km 떨어진 곳에 있는 섬으로, 오랜 역사 동안 다양한 문화의 영향을 받아왔다.

원래 대만의 토착민은 약 2만 년 전부터 대만에 거주해 온 원주민으로, 현재 약 26개의 부족으로 나뉘어 있다. 토착민들은 자신만의 독특한 문화를 가지고 있는데, 대표적으로 뱀 숭배, 부족 별 고유한 언어, 독특한 의상 등이 있다.

대만은 1624년 네덜란드의 지배를 시작으로 1895년까지 일본의 지배를 받았고, 1945년 이후에는 중국에서 이주해 온 한족이 대다수를 차지하게 되었다. 이러한 역사적 배경으로 인해 대만 문화는 중국의 문화와 일본 문화의 영향을 동시에 받았다.

대만 문화의 특징으로는 주로 3가지 요소를 볼 수 있다. 먼저 다양성인데 이는 대만이 다양한 문화의 영향을 받아왔기 때문에, 매우 다양한 문화적 특징을 가지고 있다. 또한 개방성도 있는데 이는 대만은 외국 문화에 대한 개방성이 높아, 다양한 문화적 요소가 공존하고 있기 때문이다. 한편 현대성도 특징으로 대만은 경제적으로 발전한 국가로, 현대적인 문화를 가지고 있고 주위 국가들보다 발전 수준이 높다는 것에서 그러한 점이 드러난다.

한편 대만의 종교는 불교, 도교, 기독교 등이 혼재되어 있다. 불교는 대만에서 가장 널리 퍼진 종교로, 약 30%의 인구가 불교를 믿고 있다. 도교는 약 25%의 인구가 믿고 있으며, 기독교는 약 20%의 인구가 믿고 있다.

대만의 예술은 중국 전통 예술과 서양 예술의 영향을 동시에 받았다. 중국 전통 예술로는 서예, 회화, 음악 등이 있으며, 서양 예술로는 영화, 드라마, 음악 등이 있어 다양한 예술을 향유하고 있다. 이처럼 대만은 다양한 문화의 영향을 받아 독특하고 매력적인 문화를 가지고 있는 나라이다. 누구나 대만을 방문한다면 다양한 문화를 경험하고, 새로운 문화적 감동을 강하게 느낄 수 있을 것이다.

마카오 문화의 형성과 특징을 살펴보면 마카오는 중국 남부에 있는 특별행정구로, 중국 본토와 포르투갈의 문화가 공존하는 독특한 도시이다. 1557년 포르투갈이 마카오에 정착한 이후 442년 동안 포르투갈의 지배를 받았으며, 이 기간에 중국과 포르투갈의 문화가 융합되어 마카오만의 독특한 문화가 형성되었다. 그렇기에 마카오의 문화는 크게 중국 문화와 포르투갈 문화로 나눌 수 있다.

중국 문화는 마카오의 기본적인 문화를 형성하고 있다. 마카오의 주민 대부분은 중국인이며, 중국의 언어, 종교, 전통 등이 마카오 곳곳에 뿌리내리고 있다. 마카오에서는 유교, 도교, 불교 등이 널리 퍼져 있다. 유교는 마카오 사회의 기본적인 가치관을 형성하는 데 큰 영향을 미쳤으며, 도교와 불교는 마카오 주민의 종교적 믿음의 바탕을 이루고 있다. 또한 마카오에는 중국의 다양한 전통이 보존되어 있다. 전통적인 중국 의상, 음식, 예술, 축제 등이 마카오의 문화를 풍성하게 하고 있다.

한편 포르투갈 문화는 마카오의 역사와 함께 발전해 온 문화이다. 포르투갈의 언어, 건축, 음식, 음악 등이 마카오에 뚜렷한 영향을 미쳤다. 마카오에는 포르투갈 양식의 건축물이 많이 남아 있다. 성 바울 성당의 유적, 세나도 광장, 카스텔루 성 등은 마카오의 대표적인 포르투갈 양식 건축물이다.

이외에도 마카오의 음식은 중국과 포르투갈의 문화가 결합한 독특한 음식입니다. 새우 크로켓, 윈난식 닭고기, 에그타르트 등이 마카오의 대표적인 음식이다. 그리고 마카오 전통 음악인 캉타는 마카오의 대표적인 문화유산으로 지정되어 있다. 마카오의 문화는 동서양의 문화가 조화롭게 어우러진 독특한 문화이다. 마카오를 방문하면 중국과 포르투갈의 문화가 어떻게 결합하여 있는지 생생하게 느낄 수 있으며 문화의 다양성과 융합성, 열린 태도를 직접 느낄 수 있을 것이다.

티베트 문화의 형성과 특징을 살펴보면 티베트는 중국 서부에 있는 자치구로, 화인의 영향을 받기도 하지만 기본적으로 티베트족이 주류를 이루는 지역이다. 그들은 독특한 문화와 역사가 있다. 티베트 문화는 크게 불교, 음악, 예술, 의식주 등 네 가지로 나눌 수 있다.

티베트 문화의 중심에는 불교가 있다. 티베트 불교는 인도에서 전래한 불교가 티베트의 토착 종교인 샤머니즘과 결합하여 발전한 독특한 형태의 불교이다. 티베트 불교는 깨달음을 얻기 위해 수행과 명상을 강조하며, 라마라는 성직자가 그 중심에 있다. 라마는 티베트 불교의 최고 권위자로, 종교와 정치, 사회의 모든 영역에서 중요한 역할을 한다.

티베트 음악은 불교 음악을 중심으로 발전하였다. 티베트 불교 음악은 종교적 의식에서 사용되는 경우가 많으며, 그 외에도 민속 음악, 가극 음악 등 다양한 장르가 있다. 티베트 음악은 주로 시타르, 마두르, 드럼 등 전통 악기를 사용하여 연주된다.

티베트 예술은 불교 미술을 중심으로 발전하였다. 티베트 불교 미술은 탱화, 만다라, 조각 등 다양한 형태로 표현된다. 탱화는 불교의 가르침을 그림으로 표현한 것으로, 티베트의 대표적인 예술 작품 중 하나이다. 만다라는 불교의 우주관을 상징하는 도상으로, 종교적 의식에서 사용된다.

티베트 의식주는 고산지대의 기후와 환경에 맞게 발달하였다. 티베트의 전통 의상은 털옷으로 만들어져 추위를 막아준다. 티베트의 음식은 고기, 곡물, 채소 등을 주로 사용하며, 소금이 많이 사용된다. 티베트의 전통 가옥은 돌로 지어져 있으며, 지붕은 초가로 덮여 있다.

이러한 티베트 문화는 고산지대의 독특한 환경과 역사 속에서 발전해 온 독특한 문화이다. 티베트 문화는 불교, 음악, 예술, 의식주 등 몹시 다양한 분야에서 그 특색을 나타내고 있으며 인류 문명사적으로 깊은 가치를 폭넓게 담고 있다.

한편 서방의 화교를 살펴보면 서방에서 화교가 거주하는 지역 중 주된 곳은 유럽과 미국이다. 특히 이 지역은 세계에서 가장 큰 화교 인구를 보유한 두 지역이기도 하다. 유럽의 화교 인구는 약 200만 명으로 추산되며, 미국의 화교 인구는 약 450만 명으로 추산된다.

유럽의 화교는 주로 19세기와 20세기 초에 중국에서 이주해 온 사람들이다. 그들은 주로 사업, 식당, 의류 산업에 종사하고 있다. 유럽의 화교는 중국 본토와의 긴밀한 관계를 유지하고 있으며, 중국의 경제 성장에 크게 기여하고 있다.

미국의 화교는 주로 19세기와 20세기 중반에 중국에서 이주해 온 사람들이다. 그들은 주로 사업, 과학, 기술, 예술 분야에서 두각을 나타내고 있다. 미국의 화교는 미국 사회에서 중요한 역할을 하고 있으며, 미국의 경제와 문화 발전에 크게 기여하고 있다.

유럽의 화교는 중국 본토와의 긴밀한 관계를 유지하고 있다. 그들은 중국의 경제 성장에 크게 기여하고 있으며, 중국 기업의 유럽 진출을 돕고 있다. 또한, 유럽의 화교는 중국의 문화와 전통을 유럽에 알리는 데에도 중요한 역할을 하고 있다.

미국의 화교는 중국 본토와의 관계를 유지하면서도 미국 사회에 적극적으로 동화되고 있다. 그들은 미국의 교육과 문화를 받아들이고, 미국 사회의 일원으로서 책임을 다하고 있다.

유럽과 미국의 화교는 앞으로도 계속해서 성장할 것으로 예상된다. 중국의 경제 성장과 세계화로 인해 유럽과 미국으로의 화교 이민이 증가할 것으로 예상되기 때문이다. 또한, 유럽과 미국의 화교는 중국 본토와의 관계를 유지하면서도 미국 사회에 적극적으로 동화될 것으로 예상된다.

유럽과 미국의 화교는 중국과 서양의 문화를 연결하는 중요한 역할을 할 것으로 기대된다. 그들은 중국의 경제와 문화를 유럽과 미국에 알리는 데에 기여하며, 유럽과 미국의 문화를 중국에 전파하는 데에도 이바지한다.

한편 동남아시아는 오래전부터 화교가 많이 진출한 지역으로 그 지역에서 화교가 거주하는 지역 중 주된 곳은 싱가포르, 말레이시아, 태국이다. 모두 화교 인구가 많은 국가이다. 싱가포르의 화교 인구는 약 75%로, 말레이시아의 화교 인구는 약 25%, 태국의 화교 인구는 약 14%로 추산된다.

싱가포르의 화교는 주로 19세기와 20세기에 중국에서 이주해 온 사람들이다. 그들은 주로 사업, 금융, 무역, 제조업 분야에서 두각을 나타내고 있다. 싱가포르의 화교는 싱가포르 경제의 발전에 크게 기여하고 있으며, 싱가포르 사회에서 중요한 역할을 한다. 특히 싱가포르의 화교는 중국 본토와의 관계를 유지하면서도 싱가포르 사회에 적극적으로 동화되고 있다. 그들은 영어와 중국어를 모두 사용하고, 싱가포르의 문화와 전통을 존중하고 있다.

말레이시아의 화교는 주로 19세기와 20세기에 중국에서 이주해 온 사람들이다. 그들은 주로 사업, 농업, 어업, 제조업 분야에서 두각을 나타내고 있다. 말레이시아의 화교는 말레이시아 경제의 발전에 크게 기여하고 있으며, 말레이시아 사회에서 중요한 역할을 하고 있다.

말레이시아의 화교는 중국 본토와의 관계를 유지하면서도 말레이시아 사회에 적극적으로 동화되고 있다. 그들은 말레이어와 중국어를 모두 사용하고, 말레이시아의 문화와 전통을 존중하고 있다.

태국의 화교는 주로 19세기와 20세기에 중국에서 이주해 온 사람들이다. 그들은 주로 사업, 무역, 제조업, 금융 분야에서 두각을 나타내고 있다. 태국의 화교는 태국 경제의 발전에 크게 기여하고 있으며, 태국 사회에서 중요한 역할을 하고 있다. 이러한 태국의 화교는 중국 본토와의 관계를 유지하면서도 태국 사회에 적극적으로 동화되고 있다. 그들은 태국어와 중국어를 모두 사용하고, 태국의 문화와 전통을 존중하고 있다.

동남아시아의 화교는 앞으로도 계속해서 늘어나고 성장할 것으로 예상된다. 중국의 경제 성장과 세계화로 인해 이들 국가로의 화상(華商)을 중심으로 한 화교 이민이 증가할 것으로 예상되기 때문이다. 또한, 이들 국가의 화교는 중국 본토와의 관계를 유지하면서도 이들 국가 사회에 적극적으로 동화될 것으로 예상된다.

싱가포르, 말레이시아, 태국의 화교는 중국과 동남아시아의 문화를 연결하는 중요한 역할을 할 것으로 기대된다. 그들은 중국의 경제와 문화를 동남아시아에 알리는 데에 이바지할 것이며, 동남아시아의 문화를 중국에 전파하는 데에도 이바지할 것이다.

한편 동남아시아 화교는 다음과 같은 특징을 가지고 있다. 첫 번째로는 사업에 대한 열정이다. 화교는 일반적으로 사업에 대한 열정이 강하다. 그들은 자신의 사업을 성공시키기 위해 노력하고, 다른 사람들을 도와 성공하도록 돕는 데에도 열정적이다.

두 번째는 가족에 대한 중요성이다. 화교는 가족에 대한 중요성을 강조한다. 그들은 가족의 화목과 번영을 위해 노력하며, 가족의 전통을 지키기 위해 노력한다.

세 번째는 교육에 대한 중요성이다. 화교는 교육에 대한 중요성을 강조한다. 그들은 자녀의 교육에 투자하고, 자녀가 성공적인 삶을 살 수 있도록 돕는다. 이러한 특징은 싱가포르, 말레이시아, 태국을 비롯한 동남아시아의 화교가 이들 국가 사회에서 성공을 거두는 데에 몹시 중요한 역할을 했다고 볼 수 있다.

IX. 내몽골의 겉과 속

내몽골은 중국 북부에 있는 자치구로 몽골족이 주류를 이루는 지역이다. 내몽골은 오랜 역사와 전통을 가진 지역이므로 중국과 구분되는 문화가 있으며 어느 정도 독자적인 자치를 보장받고 있다. 한편 일각에서는 독립국 건설의 논의가 되는 등 중국에 전혀 융화되지 않는 지역이다.

내몽골 문화의 가장 큰 특징은 유목 생활을 기반으로 한다는 것이다. 내몽골은 광활한 초원이 펼쳐진 지역으로, 몽골족은 수천 년 동안 유목 생활을 해왔다. 유목 생활은 내몽골 문화의 모든 측면에 영향을 미쳤다.

내몽골의 전통 의상은 유목 생활에 적합하게 만들어졌다. 남성들은 몽골 전통 복장인 델을 입고, 여성들은 몽골 전통 복장인 데일리를 입는다. 델과 데일리는 모두 가죽이나 털로 만들어졌으며, 추운 날씨에 대비하기 위해 두껍게 만들어졌다.

내몽골의 전통 음식도 유목 생활에 적합하게 만들어졌다. 내몽골의 대표적인 음식으로는 몽골 보리밥인 보츠, 몽골식 양고기 요리인 호쇼르, 몽골식 젖으로 만든 요리인 아이락 등이 있다.

내몽골의 전통 음악은 유목 생활의 모습을 반영하고 있다. 몽골 전통 음악은 주로 목청으로 부르는 노래와 기타와 같은 악기를 연주하는 곡으로 이루어져 있다. 몽골 전통 음악은 힘차고 역동적인 분위기를 가지고 있다.

내몽골의 전통 예술은 유목 생활의 아름다움을 표현하고 있다. 몽골 전통 예술은 주로 벽화, 조각, 공예품 등으로 이루어져 있다. 몽골 전통 예술은 화려하고 독특한 색채를 가지고 있다.

이처럼 내몽골 문화는 오랜 역사와 전통을 가진 풍부한 문화이다. 내몽골 문화는 유목 생활, 전통 의상, 전통 음식, 전통 음악, 전통 예술 등 다양한 측면에서 몽골족의 삶을 반영하고 있다.

X. 한반도의 역사와 철학

한반도는 중국과 일본 사이에서 자주성을 지켜온 영역이다. 이러한 한반도를 수호하기 위해서는 그 역사를 보고 철학을 구상해야 한다. 특히 근래에 미국과 중국의 갈등 속 한반도가 살길을 모색해야 하는 것이 현시대의 가장 중요한 과제이다.

현재 미국과 중국의 갈등은 신냉전이라고 불릴 만큼 심각하다. 이러한 현실 속에서 한반도의 운명은 심각하며 잘못하다가는 과거처럼 또 열강에 끌려다닐 수 있는 위험이 있다. 우리는 우리의 자주를 지키고 독자적인 목소리를 내기 위해서는 한반도 문제에 대해서 2가지 관점을 가져야 한다. 그렇기에 친미도 친중도 아닌 '제3의 선택'이 요구된다.

먼저 우리의 지정학적 상황을 살펴보면 우리는 중국이 지리적으로 가깝기에 중국의 영향력이 좀 더 강한 편이다. 이때 중국의 모든 국력이 한반도에 집중된다면 우리는 어떠한 것도 할 수 없다. 그러므로 대만, 몽골과 같이 다른 곳으로 관심을 돌려서 한반도에 집중하지 못하도록 해야 한다.

이와 더불어서 인도와 같은 제3세력을 한반도에 개입시키고 복잡하게 문제를 만들어서 완충 세력이 존재하도록 해야 한다. 그리하면 미국과 중국도 직접적으로 한반도에서 충돌하지는 않을 것이다. 그러므로 우리는 절대로 미국과 중국의 한쪽 편을 들어서는 안 되며 단순한 중립이 아닌 능동적 중립을 통한 제3의 선택을 해야 한다. 그러기 위해서는 중국과 경쟁할 수 있고 미국의 영향력 밖에 있으면서도 세계의 공장과 그 무역의 힘을 분산하는 인도를 반드시 키워야 한다.

한편 자주성을 위해 동학 철학의 재발견이 필요하다. 독자적인 철학이 없는 국가는 아무리 부유해도 다른 국가의 정신적 식민지이다. 우리나라도 철학이 존재하지만 서양 철학이거나 동양 철학이라도 중국의 유교, 도교 철학이거나 아니면 인도의 불교 철학이다. 고로 우리의 독자적 철학인 동학을 키워서 발전해야 성장할 수 있다. 특히 현대 사회는 복잡성이 증가하는 사회이므로 후천개벽을 주장했던 동학의 면모가 잘 적용될 수 있을 것이다.

한편 동학은 물리학의 반물질 개념을 적용할 수 있다. 하나의 예를 들면 이중성(duality)이나 상호보완성(complementarity)에 대한 철학적 개념에 반물질을 접목해 볼 수 있다. 물리학에서, 모든 입자는 그에 상응하는 반입자(반물질)를 가지며, 이 두 가지는 서로 없앨 수 있는 관계이다. 이것은 어떤 방식으로 보면 같은 존재의 두 가지 다른 면을 나타내는 것일 수 있으며, 우리가 세상을 이해하는 방식에 대한 통찰력을 제공할 수 있다. 이러한 생각은 동양 철학의 중요한 요소인 '음양' 개념과 도 관련이 있다. 음양은 서로 대립하면서도 보완적인 원리로서 우주의 모든 현상을 설명하려고 하므로 비슷하다. 이와 관련한 또 다른 예시로는 '존재와 부재'라는 주제를 들 수 있다. 반물질과 물질이 만나면 서로 소멸하므로, 이것은 '부자'라는 개념으로 연결될 수 있다. 즉, 어떤 것이 존재하더라도 그 반대편에서 그것이 없어지게 하는 힘이 작용한다고 볼 수 있다.

한편 순수한 한국 철학은 대부분 동학의 우산 아래에 있기는 하나 천도교, 대종교, 증산교는 그 연관성을 튼튼하게 했지만, 아직 무교(巫敎), 원불교, 선교와의 철학적 연결은 부족하므로 이 부분에서 보완이 필요하다고 할 수 있다. 또한 아시아지역학의 경영학 접목 사례처럼 경영학을 깊이 있게 연구하고 회계나 인적자원관리 같은 경영학적 기술을 응용하여 동학 철학의 기능으로 접목한다면 창조적 활용과 현시대에 맞는 실용적 면도 발굴할 수 있을 것이다. 이렇게 동학을 21세기에 맞게 재편한다면 우리 철학의 기반을 강화하고 앞으로 여러 이론적 배경이 탄생하여 정신적 독립성을 강하게 지킬 수 있을 것으로 기대된다.

과거 한민족 최초의 국가 고조선을 살펴보면 동아시아에서 중국과 한국은 상호 교류하지만, 별도의 문화권을 가지고 있다는 증거 중 하나로 오랜 기간 독립된 국가로 있었다는 것을 들 수 있다. 이러한 점에서 한민족 최초의 국가인 고조선은 그 의미가 상당하며 태초부터 자주적인 독립 국가로 구성되었다. 그러나 중국 왕조 중 일부가 고조선에 대해서 왜곡하여 우리가 중국에 종속된 국가인 것처럼 보이도록 여러 왜곡을 하였다는 주장이 있다.

일례로 기자조선이 거짓인 것은 이미 대중도 알 만큼 유명하다. 이는 위만조선을 변형하여 기자조선이라는 이야기를 창작한 것으로 중국 사서에서 말하는 기자는 모두 위만으로 보고 해석하면 된다. 그러나 위만이 중국 사람이라는 것은 중국의 주장에 불과하다. 실제로 위만은 귀화한 중국 사람이 아니라 준왕의 동생이다. 즉 준왕과 위만이 왕권을 두고 형제간의 군사적 충돌과 위만의 군사 쿠데타가 이어진 것이다.

상식적으로 귀화한 사람이 갑자기 세력을 모아서 왕위를 찬탈하는데 백성들이 동조하는 것도 역사상 유례를 찾기 어려운 일이다. 무력으로 국가를 정복하고 지배 세력이 되었음에도 기존의 지배 세력의 모든 요소를 그대로 유지한다면 어떤 형태로든 금방 왕권이 뒤집힐 가능성이 높음에도 그리한다는 것은 비정상적이다.

고로 준왕과 위만은 형제 관계이고 상대적으로 중국과의 교역을 강조한 위만이 왕위를 물려받은 준왕의 왕권을 탈취하기 위해 상대적으로 감시의 눈초리가 약한 국경 인근에서 세력을 키우고 중국과 교류하면서 쿠데타를 벌이고 왕권을 찬탈한 것으로 보는 것이 상식적이다. 또한 위의 가설을 토대로 보면 위만에게 왕권을 찬탈당한 준왕이 한반도 남부로 하방하여 설립했다는 진국(辰國)은 거짓에 가깝다.

실제로 한반도 전역과 만주 일대는 고조선에 의해 단일적으로 통치되었으며 진(辰)의 경우 한반도 남부 일대를 부르는 지명에 불과하다.고로 진국은 준왕이 쿠데타 이후 남부로 귀양 간 것을 중국에 의해 일부 유리하게 변조되어 그 역사가 왜곡되고 창작된 것이다.

한편 현재 대한민국의 국호에도 사용되는 한(韓)의 경우 몽골의 칸처럼 고조선의 왕을 부르는 하나의 명칭이자 국호의 별칭으로 보아야 한다.당시에는 왕이 제사장 역할을 겸했고 신라의 이사금처럼 최고 직함이 유일하게 왕만 사용하였으므로 그 명칭을 국호처럼 부르기도 한다. 고로 조선과 한은 동일한 의미로 봐야 하는 것이다.

또한 위에서 언급한 진은 준왕이 남부로 내려가면서 한이 왔다고 백성들이 부르던 것이 변형되어 진으로 불리게 되었고 그것이 일종의 지명으로 굳어진 것으로 볼 수 있다. 나중에 등장하는 삼한도 이러한 영향을 받았다. 다만 진한 이외에 변한과 마한의 경우 '진'이라는 단어를 '진한'이 독점하자 독자성을 보이기 위해 '변'과 '마'라는 글자를 '한'에다 붙인 것으로 보아야 한다.

한민족 최초의 국가인 고조선이 멸망하고 열국시대가 열린 것을 살펴보면 고조선이 왕검성 전투를 통해 전한에 멸망당하고 한사군이 세워져서 식민지배를 받았다는 서술을 일부 저서에서 볼 수 있다. 그러나 이것은 사실과 다르다. 진한에 의해 고조선이 멸망한 것은 사실이지만 고조선 전역을 완전히 통치하지 못하고 한사군을 설치한 일부 영토만 얻고 나머지 영역의 경우 지방 호족들이 군소 군가를 형성하게 된다. 즉 중앙정부가 일순간에 사라져서 지방정부가 별도의 국가를 이룬 것과 같다.

이 과정에서 부여, 동예, 옥저, 마한, 진한, 변한 등 여러 국가가 등장하고 이것이 다시 고구려, 백제, 신라의 3개 세력으로 정리되는 기간을 열국시대라고 일반적으로 칭한다. 또한 고구려와 백제의 경우 고조선을 가장 강하게 계승했다고 주장하는 부여의 직접적인 후신이지만 신라 역시 고조선의 권위를 입히고 준왕의 권위도 얻기 위해 서부여라고 부르기도 하였다.

그러므로 이러한 점에서 신라, 백제, 고구려 모두 고조선의 계승국으로 볼 수 있다. 한편 가야의 경우 통일된 집단을 이루지 못하였고 백제의 전성기에는 백제의 종속국이 되었고 신라의 전성기에는 신라의 종속국이 되었으므로 사실상 백제와 신라의 연장선 중 하나로 보는 것이 옳다.

한편 대한제국의 멸망 시점을 고찰하면 일반적으로 대한제국에 멸망일에 대해서 1910년 8월 29일로 여겨지고 있다. 이는 한일병합조약에 따라 대한제국이 일본제국에 흡수되었던 날이다. 그러나 이러한 견해는 몇 가지 문제점이 있다. 먼저, 한일병합조약은 대한제국 국새가 날인되지 않았으며 황제의 서명도 없는 조약이다. 이는 국제법적으로도 무효이다. 따라서 이 조약이 무효라면 대한제국의 멸망일은 대한민국 임시정부 수립일인 1919년 4월 11일이다.

비록 일제의 강제력으로 인해 행정권을 잃게 되었지만, 앞서 언급한 조약의 무효성을 고려하면 1910년 8월 29일 이후에도 대한제국과 황실은 여전히 존재한 셈이다. 한편 대한제국에서 대한민국으로 변화하는 과정은 1917년 대동단결선언에 따라 공화국 건설 제안이 공식적으로 제기되었다.

이러한 제안이 3.1 운동을 통해 전국적으로 모든 백성이 암묵적으로 수용하며 주권이 황제에서 백성으로 이양되고 대한민국 건국으로 나아간 것이다. 그러므로 대한민국 임시정부가 수립되면서 대한민국이 건국되어 대한제국의 주권이 이양되었고 1948년 8월 15일에는 완전한 자주독립국으로서의 정식 정부가 수립된 것이다.

따라서 대한제국은 1919년 4월 11일까지 존속하였으며, 그 당시까지 순종 황제가 재위하고 있다고 보아야 하며 대한민국 임시정부의 수립과 함께 대한제국은 해산되고 주권을 이양한 것으로 여겨져야 한다.

08
용인과 함께한 연구 Ⅷ

Ⅰ. 한류의 밑거름이 된 원더걸스

현재 한국의 아이돌 가수는 세계적인 인기를 가지고 있으며 빌보드나 국제적 상을 받는 것은 더 이상 뉴스가 될 수 없을 만큼 한류가 세계 주류 문화가 되며 한국 음악이 국제적으로 위상을 떨치고 있다.

그러나 이러한 시작에는 원더걸스의 무모한 미국 진출과 성장이 있었다. 다들 알다시피 원더걸스는 한국 역사상 최고의 인기를 구가한 걸그룹이다. 해외 진출도 하지 않았는데 중국, 일본, 인도, 아랍, 동남아시아, 중앙아시아에서 엄청난 인기를 끌었다.

그러나 당시 우리나라는 비아시아권에서 한류의 인기가 약한 아쉬운 측면이 있었다. 이를 원더걸스는 정면으로 돌파하고자 미국에 진출했고 아무도 예상하지 못한 한국 가수 첫 빌보드 100 진출이라는 성과와 북미 대륙에 최초로 한국 음악의 인식을 하게 만들었다.

그리고 원더걸스는 북미를 넘어 남미, 유럽, 아프리카, 오세아니아까지 세계에 그 명성을 크게 얻었으며 특히 발매곡인 는 인도에서 엄청난 판매량과 인기를 끌었던 것으로 상당히 유명하다.

결론적으로 한국 아이돌 가수가 세계적인 인기를 끌게 된 것도 그리고 처음 그 세계적 인기를 누린 것도 모두 원더걸스의 공이다. 그 덕분에 과거에는 엄청난 영향력을 가진 방송국 음악 프로그램과 국내 음악상이 이제는 원더걸스가 워낙 세계에서 상을 받고 인기를 끌고 나서 아무도 관심 가지지 않게 된 것이다.

고로 원더걸스 덕분에 현재의 한류가 있으며 현재의 걸그룹 모델은 원더걸스를 벤치마킹한 것과 다름없다. 그래서 세계에서는 원더걸스를 아시아 대표 걸그룹이자 최고의 걸그룹으로 여기고 존경하며 사회적 현상으로 연구하는 것이며 심지어는 외국에는 작은 박물관도 존재하고 원더걸스 이름을 딴 숲이 만들어지고 우표와 카드도 발행되었을 정도이다.

II. 현대 동학 철학과 종교의 이해

일반적으로 우리 역사에서 영향을 준 종교이자 철학을 찾아보면 불교, 유교이다. 이외에 근래에 기독교가 전래하면서 이들의 영향력도 상당한 편이다. 그러나 우리 역사에서 고유한 철학이자 종교는 동학이 존재한다.

동학은 인도에서 온 남학인 불교, 중국에서 온 북학인 유교, 서구에서 온 서학인 기독교를 모두 배격하여 한국의 독자적인 철학이자 종교의 총체이다. 대게 여기서 동이라는 글자는 단순한 동쪽이 아니라 한국의 모든 정신적 총체를 의미한다.

종교로써는 유교, 불교, 기독교를 제외한 한국의 고유 종교 모두가 동학에 포함된다, 원불교, 천도교, 대종교, 갱정유도, 수운교, 증산도, 대순진리회, 태극도, 증산법종교, 무교, 선교유지재단, 경천신명회, 수운교, 순천도, 청우일신회, 태극도, 민족종교 선교, 남학(이운규), 성덕도, 진혜원 등이 포함된다고 보므로 사실상 한국의 모든 민족종교이다.

또한 종교적인 관점에서 동학을 보면 개혁적이고 혁신적이므로 외계에 대해 중시하는 라엘리언 무브먼트, 사이언톨로지, 칭하이 무상사와도 교리적 연합 또는 교류가 가능한 측면에서 상당한 개방성을 띤다고도 할 수 있다.

철학적 관점에서 동학은 유교 및 불교와 다른 특징을 강하게 띤다. 특히 가장 기본인 인내천 사상에서 그러한데 '사람이 곧 하늘'이라는 것은 인간의 의지가 무한하지만, 시대적 한계로 인해 그것이 상대적으로는 불가능에 부딪힐 수 있다는 것과 만민 평등을 모두 담고 있다.

이는 인간의 인식 능력의 확장성을 추구하고 관습이나 윤회, 인격신을 모두 거부하면서 스스로 성장하고 현실 세계에서의 상호 연대와 교류 그리고 인간 존중을 위해 행해야 한다는 것을 추구하며 과학적 연구와 사실에 대해서도 적극적인 긍정을 표시한다.

결론적으로 동학은 유교, 불교, 기독교와 다른 한국의 독자적인 철학이자 종교이며 한국에서 지금까지 발생한 비유교, 비불교, 비기독교 철학과 종교가 집대성된 것이며 그것 모두가 동학이라고 할 수 있는 것이다.

III. 카르다쇼프 척도 1단계 문명과 아시아지역학

현재 인류 문명은 아쉽게도 인류 문명이 카르다쇼프 척도 1단계 문명도 되지 못했다. 우리가 상온 초전도체에 흥분한 것도 이러한 인류 문명 발전을 앞당기고자 하는 마음에서 비롯된 것이다. 아시아지역학도 이러한 인류 문명 발전에 이바지하는 것을 사명으로 하면서 많은 학자들이 지금 이시간에도 잠을 자지 않고 노력하며 연구하고 있다.

이 가운데 우리는 우리가 가진 것의 소중함을 여겨야 한다. 물론 유교와 같은 구시대의 잔재는 일소해야 하지만 한의학과 같은 우리의 소중한 것은 반드시 챙기고 발전시켜야 한다. 또한 아시아지역학이라고 하면 다소 따분하지만 그래도 인도와 몽골의 아주 가까운 역사적 관계를 서방 학자가 찾지 못했지만, 아시아지역학에서는 찾아냈다는 의의도 있다.

또한 아시아지역학은 사고를 확장해 준다. 예를 들어 55년 체제 일본의 총리는 대부분 자유민주당 출신이다. 하지만 헤이세이 시대가 되면서 호소카와 모리히로, 하타 쓰토무, 무라야마 도미이치, 하토야마 유키오, 간 나오토, 노다 요시히코 같은 민주당 총리도 배출되었다. 이는 정치가 자민당에 쏠려있는 일본도 민주당 총리를 조금이나마 배출하여 최소한의 비주류 생존을 보장하는 것이다. 그 덕분에 근래에 민주당은 다시 한번 정권을 잡을 수 있다는 소식이 들린다.

이러한 사고의 확장은 일본 총리의 예시에서 보듯 외국어대학에 대한 우리의 편견을 일소한 전력이 있다. 보기에는 자연계 학과 위주 대학이라 쉽사리 외국어와는 관련 없다고 쉽게 사고하지만 실제로는 생명과학정보학과, 산업경영공학과, 디자인학부, 예술학부, 정보통신공학과는 외국어를 많이 다루고 특히 특수 외국어도 해야 하는 만큼 사실상 외국어대학과 다를 바가 없다는 것도 새로이 알게 된 사실이라고 할 수 있다.

이외에 경영학 과목으로 경제학, 국제행정론, 위대한지도자와그들의선택, 정치학, 중국문명사와전통문화, 삶과철학중국어강독, 중국통상및시사, 문화예술과감각활용, 바이오헬스인문학, 4차산업과서비스경영2, 국제지역학, 중국어권문화가 있고 이것은 아시아지역학 과목으로도 활용된다는 것도 이를 통해서 새롭게 알 수 있다.

고로 우리는 이러한 아시아지역학을 다시 살펴보고 아시아의 독창성을 바라보면서 카르다쇼프 척도 1단계 문명으로 나아갈 수 있도록 최선을 다해야 하며 학문들을 일렬로 놓고 비교했을 때 가장 발전도가 낮은 학문에 집중하여 투자하여 끌어올리고 이를 통해서 학문들의 평균치를 높이는 것도 반드시 인류 발전을 위해 해야 할 필요성이 있는 셈이다.

Ⅳ. 황하문명 그리고 하나라부터 춘추전국시대까지

중국은 세계 4대 문명 중 하나이자 현재까지도 단일화된 문명권으로 이어지는 황허문명을 꽃피웠던 나라이다. 황하문명은 기원전부터 중국 황하강 일대에서 시작되었다. 대표적인 유적으로 귀갑이 있으며 이 시기에 현재의 한자의 기원인 갑골문자가 탄생하였다.

한편 이러한 황하문명이 발전하면서 부족이 커져 국가가 탄생했다. 현재 역사가들에 따라 의견이 분분하지만 실존했다고 보는 사람도 있는 하나라는 전설 속의 요순시대 이후 순 임금의 신임을 얻어 우 임금이 세웠다고 한다. 하지만 아직 고고학적 증거는 명확하지 않아 구체적인 내용은 완전히 미궁에 빠져있으며 일각에서는 신화로 보기도 한다.

우리가 흔히 은나라로 불리는 상나라는 은허 지역에 유적이 발견되면서 그 존재가 증명되었고 특히 현재의 상업의 '상' 자에 영향을 줄 만큼 그 발자취가 인류 역사에서 상당했으나 일각에서는 은허 유적을 부정하고 신화로 보는 관점도 그 근거가 상당하다.

이후 반란으로 탄생한 주나라는 중국의 인문주의, 천(天) 사상, 그리고 세계 체제 등의 기틀을 놓았다는 점에서 그 의의가 매우 크다고 평가된다. 하지만 주나라의 질서가 붕괴하자 각지에서 반란이 일어나는 춘추전국시대로 접어든다. 다만 일각에서는 주나라가 통일 국가가 아니고 부족 국가이므로 사실상 존재하지 않고 춘추전국시대부터 역사가 시작된다고 보기도 한다.

춘추전국시대는 기원전 771년부터 기원전 221년까지 약 500년 동안 지속하였으며, 여러 제후국이 서로 경쟁하며 발전한 시대이다. 춘추전국시대에는 혼란상 속에서 질서를 추구하기 위해 다양한 철학 사상들이 발전하였다. 공자, 맹자, 노자, 장자 등이 대표적인 철학자로, 그들의 사상은 중국의 문화와 정치에 큰 영향을 미쳤다. 그 마지막에는 진나라가 중국을 통일하였으며, 중국은 중앙집중형 통일 국가로 한 단계 도약하면서 거듭나게 되었다.

V. 진나라와 하나의 중국

춘추전국 시기의 혼란이 극에 달하고 각지의 투쟁이 끊임없이 이어졌지만 '흩어진 것은 반드시 하나가 된다'는 세간의 말처럼 혼란을 종식할 강한 세력이 등장했다. 그 세력의 이름은 '진나라'였다. 당시 중국 북서부에 있던 진나라는 강력한 군사력과 엄정한 규율을 가지고 중국을 통일하였으며 그 나라의 왕이었던 영정은 최초의 황제라는 뜻으로 진시황이라고 불렸다.

그는 통일 이후 강력한 중앙집권국가를 세웠다. 이는 현재의 중화인민공화국과 과거 중국의 모든 국가가 추구하는 강력한 중앙집중적 전통을 세운 것이다. 또한, 귀족들의 권력 기반을 파괴하기 위해 그들을 멀리 떨어진 곳으로 이동했는데 이는 한국과 일본에도 유사한 제도가 생기는 것에 좋은 선례가 되었다.

그리고 통일된 문화를 창조하고 수로와 운하를 건설하며 언어와 도량형을 통일했다. 그리고 현재도 중국의 유명한 유적인 만리장성을 이민족의 침입을 막기 위해 처음 건설에 착수했다. 하지만 과도한 통일성에 집착한 나머지 법가를 제외한 다른 사상을 모두 이단시하여 분서갱유(焚書坑儒)라고 불리는 과도한 사상 및 학문 탄압을 하였고 고된 노역에 백성을 희생시키어 그 불만이 커지도록 하는 화근을 만들었다.

진시황은 영생을 꿈꾸며 불로초를 찾고 수은으로 이루어진 강이 흐른다는 구전이 있는 진시황릉을 지어 그의 권력을 대내외에 과시했다. 이것은 비슷한 시기의 로마제국의 황제들이 행한 권력 과시 이상이며 이집트의 피라미드 건설에 필적하거나 그 이상이라도 평가될 정도이다. 비록 진시황 사후 진은 무너졌지만, 중앙집중화된 중국의 첫 기틀을 세웠다는 점에서 진나라의 의미는 작지 않다고 후대의 역사가들은 평한다.

Ⅵ. 한나라의 탄생과 한족의 형성

중국인을 민족으로 부르는 명칭인 한족은 한나라에서 그 이름을 따온다. 한나라는 중국 역사상 최초의 통일 국가는 아니었지만, 가장 오랫동안 지속한 국가이자 가장 많은 영토를 차지했던 국가였다. 또한, 유교를 국교로 삼아 중국의 문화와 사상에 큰 영향을 미쳤다.

한나라의 탄생은 진나라의 멸망으로부터 시작된다. 진시황의 폭정으로 민심이 돌아서자, 유방과 항우가 이끄는 두 세력의 대결이 벌어졌다. 이른바 초한전쟁으로 불리는 이 전쟁에서 유방이 승리하면서 한나라가 건국되었다.

유방은 진나라의 폭정을 타파하고 민생을 안정시키기 위해 노력했다. 또한, 유교를 국교로 삼아 중국의 통합과 발전에 이바지했다. 이러한 유방의 정책은 한나라의 안정과 발전에 큰 역할을 했다.

한나라는 유방을 시작으로 200여 년 동안 지속하였다. 이 기간에 한나라는 중국의 경제와 문화를 크게 발전시켰다. 또한, 흉노와의 전쟁에서 승리하면서 중국의 국경을 확장하기도 했다.

한나라의 멸망 이후에도 한족은 중국의 주류 민족으로 자리 잡았다. 이는 한나라가 중국에 남긴 문화와 사상의 영향이 크다. 현재까지도 한나라는 중국 역사에 있어 가장 중요한 국가로 평가된다.

Ⅶ. 로마에게 영향을 준 한나라

한나라는 최초로 실크로드 동서 무역로를 만들어서 로마와 교류했다. 로마로부터 유리와 산호를 수입하고 비단과 면직물을 수출했다. 한나라와 로마는 광활한 영토를 정복했으며 이민족의 공격에 맞섰다. 그리고 당시 지역의 문화적 및 정치적 중심지였으며 로마의 신화 중 '황금의 시대'와 중국의 신화 중 '요순시대'의 내용이 비슷하는 등 상호 간의 깊은 교류와 무역이 있었음을 알 수 있다.

하지만 현재의 로마는 여러 나라로 분열되었고 시민이 성장했지만, 중국은 통일된 채로 현재까지 오면서 로마와 다른 형태의 시민을 만들었다. 근래 서구의 역사가들에 의해 중국을 비롯하여 한나라가 폄하되고 고대 로마의 위상은 일방적으로 높여지지만, 당시 한나라는 로마도 두려워하는 지구상 초강대국이었으며 로마에 미친 경제적, 사상적 영향력은 부정할 수 없는 근거가 존재하는 사실이자 역사이다.

실제로 로마는 한나라를 많은 부문에서 벤치마킹했다. 대표적으로 한나라의 행정 체제와 군사제도를 참고하여 로마의 제국을 더욱 안정적으로 운영하는 것에 좋은 참고가 되었다. 또한, 한나라의 과학 기술과 문화도 로마에 전해져 고대 유럽의 발전에 기여했다.

이처럼 한나라와 로마의 교류는 단순한 경제적 무역을 넘어 두 국가 간의 상호 신의 있는 문화적, 사상적 교류로 발전했다. 이러한 과거의 로마와 한나라의 교류는 고대 세계의 발전에 중요한 역할을 했으며, 오늘날에도 중국과 유럽의 관계에 중대한 기원과 여러 영향을 미치고 있다.

Ⅷ. 로마와 중국의 문명 충돌과 그 결과

로마 제국은 한때 지중해 세계를 통일한 강대국이었지만, 기독교의 공인과 함께 내부적으로 쇠퇴의 길을 걸었다. 노예제 경제의 한계, 대중영합주의에 빠진 황제들의 무능, 그리고 게르만 이민족의 침입으로 인해 로마는 결국 멸망하고 말았다. 로마의 멸망 이후 유럽은 중세로 접어들면서 종교가 모든 것을 지배하는 농노 사회가 되었다. 십자군 전쟁을 통해 이슬람 세력과 충돌하기도 했지만, 문명의 충돌에 몹시 취약한 모습을 보였다.

반면 중국은 한나라 이후에도 여러 이민족 왕조가 들어서며 문명의 충돌을 경험했지만, 특유의 중화사상과 이민족 포용 정책으로 이를 극복해 나갔다. 몽골 제국의 침공과 원나라 수립, 만주족의 청나라 건국 등 큰 위기를 맞기도 했지만, 결국 궁극적으로는 승리하는 모습을 보였다.

로마와 중국의 문명 충돌에서 두 나라는 서로 다른 결과를 맞이했다. 로마는 내부적인 문제로 인해 쇠퇴하고 멸망했지만, 중국은 특유의 문화와 정책으로 이를 극복하고 번영을 이어 나갔다.

이러한 결과는 문명 충돌에 대한 중요한 시사점을 준다. 오로지 힘으로만 대항하는 것은 근본적인 해결책이 될 수 없다. 오히려 서로의 문화와 가치를 존중하고 포용함으로써, 문명의 충돌을 극복하고 편협한 관점을 탈피하여 새롭고 창조적인 발전을 이룰 수 있다.

IX. 한나라부터 원나라까지

한나라는 외척이었던 왕망에 의해 신나라로 바뀌지만, 얼마 지나지 않아 왕망의 무능한 통치로 다시 한나라로 돌아왔다. 후대의 역사가들은 신나라를 기준으로 전한과 후한으로 구분한다.

중국의 재통일을 이룬 한나라이지만 점차 노쇠해지면서 멸망의 길로 갔다. 한나라 멸망 이후부터 중국은 중세가 시작된 것이다. 한나라의 멸망 이후 우리가 흔히 소설 '삼국지연의'와 정사 '삼국지'를 통해 익숙한 위, 촉, 오에 의한 삼국시대가 시작되었다.

위나라에서 탄생한 진(晉)나라가 혼란스러운 삼국시대를 통일하지만, 이민족에 의해 남부(강남)로 밀려나면서 중국의 북부(화북)에는 최초로 이민족에 의한 왕조가 세워졌다. 그리하여 북부에는 이민족 왕조가 이어지고 남부에는 한족 왕조가 이어지는 남북조시대가 이어졌다.

이후 한족 왕조인 수나라에 의해 다시 통일되고 수나라는 멸망하고 이연에 의해서 당나라가 건국되었다가 환관의 전횡에 나라는 부패하고 이민족과 지방 토호들에 의해 분열되면서 중국은 춘추전국시대에 준하는 오대십국시대의 혼란기를 겪게 되었다.

이후 송나라가 등장하며 통일하지만 몽골 제국의 성장으로 인해 남부로 밀려났다가 멸망하면서 몽골은 이민족이 중국 전역을 차지하는 최초의 왕조인 원나라를 세웠다.

이후 원나라가 약해지면서 몽골은 북방 초원으로 밀려났고 다시 한족 왕조인 명나라가 중국에 등장했다. 그것은 근대가 아닌 근세가 시작되는 중국 역사상 몹시 기묘한 순간이었다.

X. 새로운 시대는 어떻게 열리는가?

유럽은 페스트로 인해 인구가 감소하면서 노동력 부족이 발생했고, 이는 새로운 기술과 생산 방식의 개발을 촉진했다. 또한, 페스트로 인해 기존의 질서가 붕괴하면서 새로운 사상과 가치관이 등장하기 시작했다. 이러한 변화의 바람은 유럽을 넘어 전 세계로 확산되었다. 실크로드를 통해 동서 간의 교류가 활발해졌고, 유럽의 탐험가들은 신대륙을 발견했다. 이러한 교류는 새로운 문화와 문명의 탄생을 가져왔다.

특히, 유럽은 르네상스 운동을 통해 인본주의적 사고를 발전시켰다. 인본주의는 인간을 중심으로 세상을 바라보는 사상으로, 종교적 권위에서 벗어나 인간의 자유와 가치를 존중하는 사고방식을 확산시켰다. 15세기 말, 유럽은 이러한 변화의 물결을 가장 먼저 받아들인 지역이었다. 유럽인들은 동양의 진귀한 보물을 획득하기 위해 더 멀리 뻗어나갔고, 이를 통해 근대 제국주의의 싹을 틔웠다.

이처럼 중세의 끝은 근대의 시작을 알리는 중요한 전환점이었다. 흑사병을 계기로 인류는 새로운 도전을 시작했고, 그 과정에서 새로운 문명과 가치관이 탄생했다. 그리고 인류는 새로운 시대를 맞이할 준비를 하게 되었다.

그 새로운 시대의 서막에 유럽은 빛과 환희가 넘쳤고 동양에는 비극과 슬픔 그리고 어둠이 몰려왔다. 그리고 그 어두운 역사를 넘어서 우리는 현대로 왔다. 고로 새로운 시대는 우리가 하기 나름에 달린 것이다.

용인과 통하는 아시아지역학의 경영학적 시원

발행 2024년 05월 08일

지은이 대한아시아지역학연구회
발행처 주식회사 부크크
출판등록 2014.07.15. (제2014-16호)
발행인 한건희
주소 서울특별시 금천구 가산디지털1로 119 SK트윈타워 A동 305호
이메일 info@bookk.co.kr
전화번호 1670-8316
ISBN 979-11-410-8422-6

값 30,000원